LA DÉCOUVERTE DU
Portrait

LA DÉCOUVERTE DU

Portrait

David Kershaw

PML
EDITIONS

Traduction : WRP Translations

ISBN 2-87628-971-7

Imprimé en Slovénie

En couverture :
Naomi de **David Kershaw**
(huile sur papier)

Au dos :
Lesley de **Sally Dray** (acrylique sur toile)

PAGE 1
Naomi
Huile sur papier, 38 × 28 cm

PAGES 2-3
Jen Goater
Autoportrait
Huile sur toile, 39,7 × 61,4 cm

Sommaire

Introduction

Il existe deux manières d'apprendre à peindre des portraits.

La première consiste d'abord à se procurer une belle toile vierge, puis à copier servilement quelques exemples illustrant point par point la méthode à suivre. Le résultat obtenu est, en général, une pauvre imitation du travail d'autrui. Cet ouvrage ne vous expliquera pas comment procéder pour arriver à un tel résultat.

La seconde manière, celle que nous privilégions ici, vous aidera à acquérir, comme nous l'espérons, la technique ainsi que le savoir-faire vous permettant de découvrir votre propre style en matière de portraits.

L'art du portrait vous intéresse, mais vous objectez en votre for intérieur : «Je ne sais même pas dessiner, c'est sans espoir. » Si vous disposez de la coordination suffisante pour écrire votre nom, vous apprendrez à dessiner, et rapidement si vous y mettez de l'application. Vous pensez également : « J'aime peindre, mais je ne suis bon à rien lorsqu'il s'agit de représenter des personnages. » Si l'art du portrait semble souvent plus difficile que les autres genres iconographiques, c'est pour trois raisons principales :

• l'inhibition (« Je ne crois pas que j'y arriverai ») ;
• les idées préconçues (« C'est un œil, et je sais très bien à quoi ressemble un œil ») ;
• l'imprécision (« Je crois que cette oreille devrait se placer quelque part par là ; de toute façon, cela marchera »).

Heureusement, ces travers ne sont pas insurmontables, et ceci grâce à :

• l'application : en dépit d'inévitables moments de désespoir, un travail régulier vous permettra d'acquérir l'aisance et la confiance nécessaires pour surmonter toute inhibition ;
• l'observation : il ne s'agit pas simplement de regarder, mais d'apprendre à fixer quelque chose du regard, jusqu'à *voir* ;
• la concentration : en vous concentrant, vous ne peindrez pas à la va-vite une vague approximation, mais obtiendrez une représentation précise de votre sujet.

A la simple mention du mot « portrait », nous pensons le plus souvent à quelque tableau officiel, guindé, et figurant quelque personnalité insipide. Mais l'art du portrait aujourd'hui, et dans le passé bien plus fréquemment qu'on ne le croit, n'est pas réductible à de tels exemples. Il peut aussi bien révéler que masquer, dévoiler autant la personnalité du peintre que celle du modèle. Il existe autant de façons d'exécuter un portrait qu'il existe de peintres – et peut-être davantage.

Vous devrez découvrir non seulement votre style, mais aussi ce que le mot « portrait » signifie pour vous. Vous y parviendrez en peignant sans relâche, ainsi qu'en étudiant le

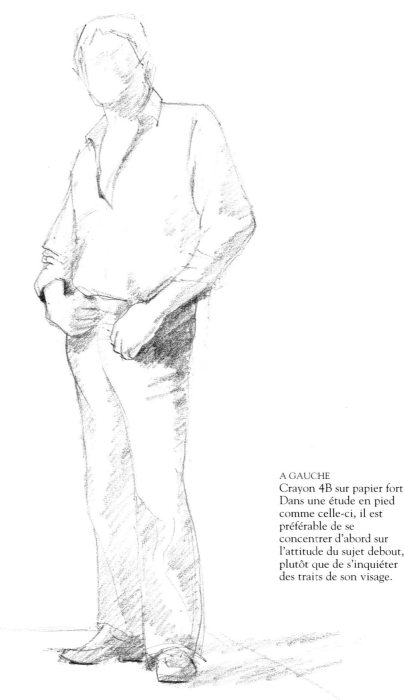

A GAUCHE
Crayon 4B sur papier fort
Dans une étude en pied comme celle-ci, il est préférable de se concentrer d'abord sur l'attitude du sujet debout, plutôt que de s'inquiéter des traits de son visage.

A GAUCHE
Velásquez
Le Bouffon Pablo de Valladolid, 1632
Huile sur toile
Remarquez comment la courbe douce du flanc gauche du personnage, brisée uniquement par son bras tendu, contraste avec les formes hachées du flanc droit.

A GAUCHE
A. Davidson-Houston
Portrait de femme
Huile sur toile,
46,1 × 35,2 cm

A DROITE
Annie Stevens
Autoportrait
Aquarelle, 16,6 × 11,5 cm
Deux approches contrastées :
une étude compassée à
l'huile, au puissant modelé et
au rendu minutieux des
détails de la robe ; et une
étude libre à l'aquarelle
mettant en valeur l'humeur
du sujet.

plus grand nombre possible de portraits exécutés par d'autres peintres, afin de parvenir à cerner ce qui vous intéresse particulièrement chez ceux qui vous ont séduit.

L'art du portrait comporte un autre impératif : s'intéresser aux gens. Si un modèle vous ennuie, il est possible que vous exécutiez un portrait ennuyeux. Mais si, au contraire, l'infinie variété du genre humain, son apparence, ses bizarreries

et son caractère, vous fascinent, voilà qui constitue un excellent point de départ.

La formule magique qui vous permettrait, quel que soit son talent ou son expérience, de peindre à volonté de superbes portraits n'existe pas. Seul un apprentissage constant vous permettra, par la pratique, d'acquérir la technique et la connaissance nécessaires, et cet ouvrage se propose de vous en suggérer la manière.

1. Le matériel

En pénétrant dans une boutique de fournitures pour peintres, vous serez probablement décontenancé par la vaste gamme de matériel disponible aujourd'hui. N'hésitez pas à les essayer tous, progressivement, au cours de vos prochaines réincarnations ! Pour le moment, il s'agit seulement de commencer. Vous trouverez ci-dessous la description de quelques-uns de ces instruments de travail avec lesquels vous vous familiariserez ; mais surtout résistez à la tentation de tous les acheter, même si vous en avez les moyens. Limitez votre choix au début, et apprenez à bien vous en servir.

D'autre part, rien ne vous empêche d'essayer d'autres types de matériel si vous avez la possibilité de les emprunter. Cet ouvrage traite principalement de la peinture à l'huile, mais celle-ci n'est pas l'unique médium, ni nécessairement le meilleur. A vous de découvrir celui qui vous conviendra le mieux.

Le matériel : noir et « sec » (non délayé)

La mine de plomb

Instrument de travail familier et partout disponible, l'ordinaire mine de plomb, lorsqu'il s'agit de dessin, vient à l'esprit de la plupart d'entre nous : elle peut être utilisée pour tracer une ligne ou pour définir une valeur ; elle conserve sa qualité d'expression tant dans tant dans l'exécution d'une étude détaillée que dans une esquisse rapide.

A GAUCHE
ET EN BAS A GAUCHE
Crayon 4B sur papier fort. Une mine tendre peut permettre d'obtenir un trait riche et intéressant.

CI-DESSOUS
Crayon Conté (et pastel). Le crayon Conté noir favorise une approche plus vigoureuse.

CI-DESSUS
Crayon sur papier fort.
étude exécutée en cinq
minutes avec un minimum
de traits.

A GAUCHE
Crayon 2B sur papier fort.
Une mine plus dure
produit une ligne plus
claire.

La mine de plomb n'est cependant pas sans inconvénients : la ligne, qui est grise et non pas noire, se traduit par un effet généralement peu plaisant sur un dessin de grande dimension ou vu à distance. En outre, la pâleur du trait ainsi que la possibilité de le gommer peuvent encourager les repentirs et le manque de vigueur dans l'attaque.

Les mines de plomb les plus tendres – 4 B et 6 B – sont les mieux adaptées au papier fort. Une surface plus grenée, comme le papier à aquarelle, demande une mine un peu plus dure, B ou 2 B. La mine doit être bien effilée, au cutter plutôt qu'au taille-crayon.

Les crayons gras et les crayons Conté

Ils tracent une ligne bien plus marquée que la mine de plomb – un trait noir, un peu gras, qui s'étale facilement mais ne s'efface qu'avec difficulté. Leur trait étant plus épais que celui de la mine de plomb, ils conviennent mieux à un dessin de plus grand format, ou à un travail n'attachant pas une importance excessive aux détails, et plus particulièrement pour jeter les grandes lignes d'une ébauche préliminaire à la composition.

Ces crayons sont aussi disponibles en blanc – ce qui permet de travailler en noir et blanc sur du papier teinté – en bistre et en sanguine. Il vaudra mieux éviter d'utiliser seule la sanguine, car le bel effet qu'elle produit peut masquer une grande pauvreté de dessin.

Le fusain

Le fusain est un médium merveilleux, riche, universel et expressif, qui permet d'obtenir aussi bien toute la gamme des tons, du gris argenté le plus pâle au noir intense et velouté, que des lignes fines ou épaisses. En dessinant avec le côté d'un petit morceau de fusain, on peut également couvrir de larges zones. Il est possible d'effacer le trait simplement en le frottant de la main, ou d'éclaircir certaines zones plus sombres à l'aide d'une gomme molle. On peut également l'associer au pastel ou s'en servir pour tracer l'esquisse d'un dessin au pastel ou d'une peinture à l'huile.

Le fusain, parmi les plus anciens et les plus simples instruments de dessin, est toujours l'un des plus utiles. C'est également un médium pictural : puisqu'il est difficile de dessiner au fusain les petits détails, cela devrait vous encourager à voir et à travailler dans les grandes lignes. Le fusain permet d'exécuter des dessins de petit format, mais il est mieux adapté aux grands formats, et s'avère incomparable pour bâtir la composition.
N.B. Il est nécessaire de stabiliser avec un fixateur en aérosol les dessins exécutés à l'aide des médiums mentionnés ci-dessus.

Le matériel : noir et délayé

L'encre produit un trait bien plus intense que les instruments « secs », et ne s'efface pas. Voilà qui est positif, car cela vous oblige à *regarder* attentivement et *penser* avant de tracer une ligne sur le papier, au lieu de dessiner des approximations hésitantes en espérant les retoucher ultérieurement.

Vérifiez que l'encre utilisée est indélébile et stable à la lumière. Si celle-ci n'est pas stable (l'encre « permanente » pour stylo à plume, par exemple, n'est pas nécessairement permanente), elle disparaîtra progressivement sous l'effet de la lumière. Si vous souhaitez travailler au lavis sur un dessin à l'encre, celle-ci devra être indélébile.

Les plumes

Les plumes en acier produisent un trait dur, nerveux, et peuvent égratigner le papier en laissant baver l'encre. L'épaisseur du trait varie selon la pression exercée sur la plume. Papier et carton lisses sont les surfaces les plus adéquates, mais n'hésitez pas à découvrir de nouveaux effets d'autres supports.

CI-DESSUS
Fusain sur papier fort.

A GAUCHE
Plume à pointe fine et souple.

CI-DESSUS A DROITE
Stylo à encre à plume large.

CI-DESSUS A L'EXTRÊME DROITE
Dessin au stylo à bille rendu plus compréhensible par l'ajout de traits de crayon de couleur.

A DROITE
Stylo à encre à plume fine.

A L'EXTRÊME DROITE
Stylo à plume à pointe plus épaisse et moins souple.

Les stylos à encre

Les stylos à encre, surtout à cartouche, sont commodes à utiliser avec un carnet de croquis. Les plumes larges et souples sont adaptées aux esquisses rapides, les plumes fines aux croquis plus petits et plus détaillés. L'encre restant rarement indélébile et stable à la lumière, ne vous attendez pas à ce que votre dessin soit durable. C'est cependant l'instrument idéal en voyage.

Le stylo à bille

Nous ne saurions mépriser ici l'humble stylo à bille, mais celui-ci souffre d'une bien mauvaise réputation en tant qu'instrument de dessin : son trait gris est le cauchemar des conservateurs de musée, car l'encre se décolore rapidement à la lumière, et les hachures de ton créées par un stylo à bille peuvent donner des résultats épouvantables. Mais c'est un outil de travail bon marché, que l'on trouve partout, très facile à utiliser et durable ; il n'est pas nécessaire de le tailler et il est impossible de casser la bille (bien que le sable puisse la rendre inutilisable). Il se montre très utile pour les études au trait de petit format.

Le matériel : couleur et « sec » (non délayé)

Les crayons

D'un grand secours pour effectuer des notations de couleur, ou pour rajouter une touche colorée à un dessin au trait, ils se prêtent difficilement aux aplats de toutes dimensions.

Les pastels

On utilise les pastels depuis plusieurs siècles dans l'art du portrait. Outre le bâtonnet cylindrique traditionnel, ils sont aujourd'hui disponibles sous toutes les formes et dans toutes les tailles.

Les pastels sont particulièrement appropriés aux papiers teintés et grenés. Méfiez-vous des boîtes de pastels, car elles contiennent souvent des coloris aussi criards que peu durables. Mieux vaudra acheter chaque pastel selon vos besoins. Vous pourrez également vous procurer des pastels à l'huile, à diluer et travailler à la térébenthine.

CI-DESSUS
Étude au pastel, principalement consacrée aux tons.

A GAUCHE
Jen Goater
Jan
Pastel, 19,8 × 16,6 cm
Si ce portrait semble bien inhabituel, c'est parce qu'il a été dessiné de la main gauche, exercice qui se traduit parfois par des résultats surprenants.

A DROITE
Jen Goater
Étude de portrait
Pastel, 44,8 × 32 cm

Le matériel : couleur et délayé

L'aquarelle

L'aquarelle pure, c'est-à-dire utilisée sans crayonné, est probablement le médium le moins adapté au portrait, mais un lavis d'aquarelle s'associe bien au dessin à la plume, à la mine de plomb ou au fusain. Le lavis sera appliqué avant ou après le dessin au trait ; la première solution est la meilleure, car la seconde provoque la tentation de remplir les contours. Plus le lavis est simple et modéré, meilleur il sera.

La gouache

Bien qu'elle ne convienne qu'imparfaitement au portrait, la gouache est moins indocile que l'aquarelle. Son principal défaut, c'est qu'elle s'éclaircit en séchant, de sorte qu'il est difficile d'anticiper le résultat du coup de pinceau à partir du mélange sur la palette.

L'acrylique

De nombreux portraits sont aujourd'hui exécutés à l'acrylique, non seulement parce que la peinture à l'huile est de plus en plus onéreuse, mais aussi parce que l'acrylique, tout en

A GAUCHE
Tim Kershaw
Autoportrait
Acrylique sur carton,
61,4 × 46 cm
L'acrylique se prête bien aux grands aplats de couleur.

A DROITE
Étude a l'aquarelle sur dessin au crayon, les lavis étant exécutés de la manière la plus simple possible.

présentant les mêmes caractéristiques de touche que cette dernière, offre notamment le grand avantage de sécher bien plus rapidement. On peut également le travailler en lavis translucides, à la manière de l'aquarelle, ou en épaisseur, comme la peinture à l'huile. L'acrylique, qui est délayé dans l'eau et non dans la térébenthine, sèche en couche uniforme et indélébile mais assez flexible, diminuant ainsi les risques de craquelures.

L'acrylique sèche rapidement ; ce médium est plus difficile à manier et à appliquer que la peinture à l'huile : il s'avère problématique d'harmoniser des coloris clairs, car leur tonalité se modifie, légèrement mais sûrement, en séchant. Si l'on oublie de nettoyer ses pinceaux après le travail, ils seront définitivement inutilisables. Enfin, la peinture à l'huile offre un fini plus riche. Il est recommandé d'utiliser l'acrylique en tant que médium à part entière, plutôt que de le considérer comme un substitut de la peinture à l'huile.

La peinture à l'huile

La peinture à l'huile est le médium traditionnel du portrait, et probablement le meilleur. Expressive, susceptible de permettre une infinie variété d'approches, elle offre une riche palette de couleurs et d'empâtements, et se montre très résistante si on la traite soigneusement. Elle présente cependant un inconvénient si vous peignez par étapes successives : il est nécessaire de respecter un temps de séchage entre chaque séance de travail ; elle doit être délayée à la térébenthine, et non à l'eau, et nécessite un matériel assez important.

Examinons maintenant le matériel minimum requis pour peindre à l'huile. Adaptez-le au fur et à mesure de vos progrès, en fonction de ce qui vous convient le mieux.

A GAUCHE
Sarah Marsh
Étude de portrait
Aquarelle, 55,7 × 37,8 cm

A DROITE
Étude de portrait
Huile sur papier fort marouflé sur carton, 30,7 × 20,5 cm
Peindre rapidement de nombreuses études de petit format comme celle-ci sera plus formateur que de peiner sur un unique tableau de grand format.

CI-DESSUS
Étude de portrait
Huile sur isorel,
40 × 30 cm
L'isorel constitue un excellent support, offrant un fond de ton intermédiaire qui peut servir à unir deux zones peintes.

A GAUCHE
Travailler rapidement vous incitera à peindre plus librement.

« Gâcher de la peinture ? La seule peinture qui soit gâchée, c'est celle qui se trouve toujours dans le tube parce que vous êtes trop mesquin pour le presser. »
– Andrea Spurling

Couleurs Blanc de titane (le plus grand tube possible), jaune de cadmium (jaune clair), ocre jaune, rouge permanent clair, rouge de cadmium, cramoisi d'alizarine, bleu de cobalt, outremer, vert émeraude, terre de Sienne brûlée, noir d'ivoire.

Pinceaux Brosses soies pur sanglier à manche long, plates, n°s 2, 4, 6, 8 et 10 ; pinceau plat usé bombé, n°s 10 ou 12 ; pinceau rond en poil de martre à manche long. Il sera utile de posséder au moins deux pinceaux de chaque taille.

Palette Soit une palette traditionnelle en bois, percée d'un trou pour le pouce, soit une plaque de verre, qui fera l'affaire si vous préférez la poser sur une table de travail à côté de vous.

Couteau à palette Coudé, pour mélanger de grandes quantités de peinture, ou pour racler la peinture en nettoyant la palette.

Térébenthine Pour délayer la peinture. Également un pincelier qui pourra se fixer à la palette et contenir la térébenthine. (N.B. L'huile de lin n'est pas indispensable, car il y en a déjà suffisamment dans les tubes de peinture.)

White-spirit Pour nettoyer pinceaux et brosses.

Chevalet De préférence, un chevalet radial, très stable, réglable et pouvant supporter un grand format. Onéreux, mais dure toute une vie.

Chiffons, essuie-tout et papier journal.

Achetez des pinceaux et des brosses de bonne qualité et entretenez-les soigneusement : à la fin de chaque séance de travail, essorez l'excès de peinture dans du papier journal, rincez à fond les pinceaux dans du white-spirit puis nettoyez-les à l'eau chaude savonneuse. Enfin, rincez-les à l'eau, redressez les soies et laissez sécher à plat.

Les supports

Les supports sont la base sur laquelle vous allez dessiner ou peindre. Vous aurez besoin de tous les supports disponibles, car vous devrez exercer beaucoup. En ce qui concerne le dessin, vous aurez le choix entre les supports suivants :

- papier fort ordinaire ;
- papier à aquarelle ;
- papier pour pastel.

En ce qui concerne la peinture à l'huile, ne vous précipitez pas pour acheter une grande toile déjà tendue sur son cadre s'il s'agit de votre première tentative. C'est un support très onéreux et requérant une longue préparation.

Au début, il vous sera de loin plus profitable d'exécuter de petites études sur des supports bon marché, même s'ils sont plus fragiles. Essayez le papier fort ordinaire ou le papier à aquarelle, bien moins chers, avec lesquels vous éprouverez moins d'inhibitions à travailler.

Les panneaux d'isorel constituent également un bon support que vous pouvez couper ou scier aux dimensions de votre choix. Vous pourrez appliquer une couche d'apprêt blanc si vous souhaitez travailler sur un fond blanc, ou peindre directement sur le panneau non apprêté. Dans ce cas, la peinture séchera rapidement, l'isorel absorbant l'huile de la couleur (vous obtiendrez alors une surface crayeuse). Vous devrez également appliquer la couleur en empâtements épais, ce qui favorise une grande vigueur de facture. C'est un support sur lequel il n'est guère agréable de peindre, mais il est en revanche relativement bon marché et facilement disponible.

Utilisez un support de format proportionné au médium avec lequel vous travaillez : ne cherchez pas à dessiner à la plume fine sur des hectares de papier, ou à peindre au pinceau et à l'huile sur une plaque d'isorel de la taille d'un timbre-poste.

La pérennité du travail

Au début, ne vous inquiétez pas trop de la pérennité des matériaux utilisés : il s'agit tout d'abord de développer votre aisance et votre confiance en vous. Sachez tout de même que l'huile de la peinture à l'huile, par exemple, provoque l'effritement et l'écaillement d'un papier non apprêté. En revanche, la peinture à l'huile sur isorel soit plutôt durable.

2. Pour commencer

Puisque vous devrez bien commencer d'une façon ou d'une autre, familiarisez-vous d'abord avec quelques problèmes qu'il vous faudra affronter. Avant de vous lancer dans la lecture des chapitres suivant, effectuez les exercices présentés dans celui-ci, et mesurez vos progrès.

Si le résultat est bon, voilà qui sera parfait, mais s'il est décevant, surtout ne vous découragez pas. Personne ne saurait exécuter un chef-d'uvre immortel dès la première tentative, et vous aurez découvert quelles sont les difficultés inhérentes à un tel travail. En d'autres termes, vous aurez commencé à apprendre.

La première étape consiste à trouver une personne acceptant de vous servir de modèle. Mais qui dans votre entourage vous accorderait volontiers le temps nécessaire, accepterait de poser, en demeurant si possible immobile, sans se plaindre, et ne vous accablerait pas de ses sarcasmes en découvrant le résultat de votre travail ?

Pour ce premier essai, le modèle idéal, ce sera vous-même. Vous devrez donc utiliser une glace afin de vous voir de face. Vous pourrez accrocher un petit miroir sur le côté du support installé sur le chevalet, ou placer ce dernier en face d'une glace accrochée au mur. Ce qui importe, c'est que miroir et sup-port soient aussi proches l'un de l'autre dans votre champ de vision, sans pour cela se masquer mutuellement.

Prenez une feuille de papier fort ou à aquarelle, de format A3 (40 x 30 cm environ), fixez-la sur une planche à l'aide de ruban adhésif, de pinces ou d'agrafes, en veillant à ce que le papier soit aussi aplani que possible. Si la planche est beaucoup plus grande que la feuille de papier, fixez cette dernière sur un côté de la planche. Veillez à ce que ne s'interpose pas une grande surface de planche entre le papier et votre image dans le miroir. Moins vos yeux parcourront de chemin entre le sujet et la peinture, mieux cela vaudra.

Disposez vos couleurs sur la palette. Pour ce premier exercice, utilisez-en le moins possible : blanc, terre de Sienne brûlée et outremer devraient suffire.

Debout ou assis, tenez-vous à distance raisonnable du chevalet. Si vous êtes trop près de celui-ci, vous regarderez davantage la peinture que le sujet, et ne verrez qu'une petite zone du tableau plutôt que l'ensemble.

La première étape consiste à vous libérer de cette intimidante surface blanche qui s'étend en face de vous. Dans une généreuse quantité de térébenthine, mélangez un léger lavis neutre composé de deux couleurs. Avec

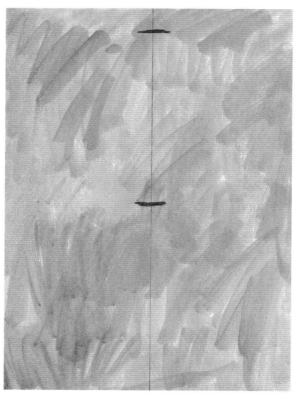

A L'EXTRÊME GAUCHE
L'autoportrait, premières étapes un lavis peu prononcé appliqué à grands coups de brosse, une ligne centrale tracée à la règle et une marque correspondant au sommet de la tête.

A GAUCHE
La seconde marque indique l'emplacement du menton, vers le milieu de la feuille de papier.

A GAUCHE
John Singer Sargent
Vernon Lee, 1881
Huile sur toile
Sargent est plus particulièrement célébre pour ses portraits de personnalités fortunées du début du XXe siècle. Osbert Sitwell affirmait que Sargent peignait les riches afin que ceux-ci, en découvrant leurs portraits, se rendent compte à quel point ils étaient riches. Par contraste, ce portrait d'une fraîcheur inaccoutumée, figurant son amie Vernon Lee, la femme de lettres, montre une facture vivante qui contribue autant à la qualité de l'œuvre qu'à notre compréhension du caractère du personnage.

votre brosse la plus large, badigeonnez ce lavis sur toute la surface du papier, en ne vous inquiétant ni des marques laissées par les coups de pinceau, ni des inégalités. Il s'agit essentiellement de masquer le blanc aveuglant du papier.

Puis, à l'aide d'un crayon et d'une règle, tracez une ligne verticale au centre de la feuille.

Vous devrez maintenant déterminer l'emplacement de votre tête sur le papier. A l'aide d'un petit pinceau, mélangez un ton plus sombre, en veillant à ce que la couleur demeure fluide. Tracez une marque en haut de la feuille, délimitant le sommet de votre tête, puis une seconde marque vers le milieu de la feuille, délimitant le bas de votre menton. En mesurant si nécessaire, déterminez l'emplacement de vos yeux entre ces deux marques, puis tracez deux nouvelles marques correspondant aux yeux. Ils sembleront ridiculement trop bas dans le visage, à peu près à mi-hauteur, si ce n'est plus.

Il est souvent nécessaire de procéder à l'estimation visuelle des mesures du sujet. Pour ce faire, tenez à bout de bras un pinceau ou un crayon et faites-en coïncider l'extrémité supérieure avec le sommet de l'objet que vous mesurez. Puis faites glisser votre pouce vers le bas, sur le pinceau, jusqu'au niveau de l'extrémité inférieure de l'objet.

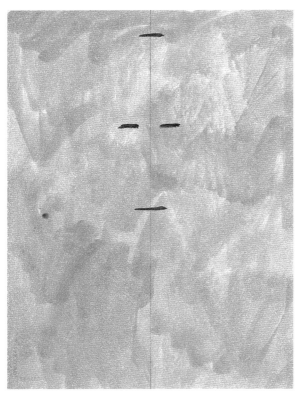

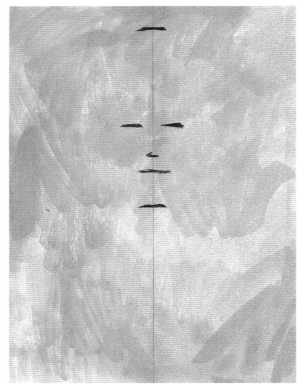

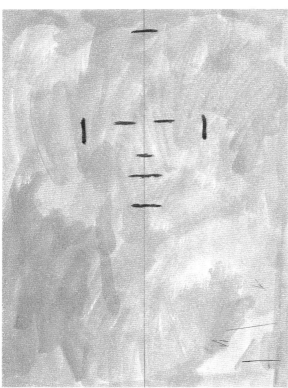

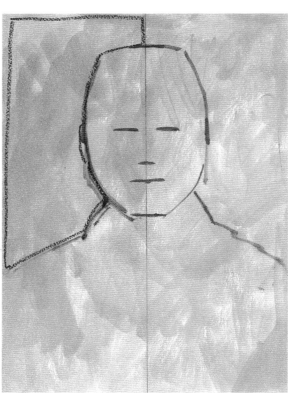

A L'EXTRÊME GAUCHE
L'autoportrait :
détermination de
l'emplacement des yeux,
bien plus bas qu'on ne
pourrait le penser.

A GAUCHE
Détermination de
l'emplacement de la base
du nez et de la bouche.

A L'EXTRÊME GAUCHE
EN BAS
Détermination de la
largeur de la tête au
niveau des yeux.

A GAUCHE EN BAS
Dessin du contour de la
tête, des épaules et des
mâchoires inférieures, en
s'aidant des espaces
négatifs.

A DROITE
Picasso
Ambroise Vollard, 1910
Huile sur toile,
92 × 64,9 cm
Les tableaux cubistes de
Picasso et de Braque se
caractérisent par une
surface fracturée en
innombrables plans
interdépendants, offrant
différents points de vue
d'un sujet statique.
Comparez ce portrait
figurant le célèbre
marchand de tableau avec
ceux de Renoir (p. 76) et
de Cézanne (p. 77).

Déterminez maintenant l'emplacement de la base du nez et de la ligne centrale de la bouche (là où se rejoignent les lèvres). La première se situe généralement quelque part entre un tiers et la moitié de la distance qui sépare les yeux du menton ; la seconde à une distance équivalente entre la base du nez et le menton. Marquez ces deux emplacements.

Déterminez ensuite la plus grande largeur de la tête à peu près au niveau des yeux.

Tracez maintenant au pinceau le contour général de la tête, des mâchoires inférieures et des épaules. Ne vous inquiétez pas du fait de ressembler à un Martien. Aidez-vous des contours de l'arrière-plan de votre image réfléchie par le miroir (qui constituent les « espaces négatifs »). Puis, avec le moins de lignes possibles, indiquez l'emplacement de la naissance des cheveux, des oreilles si elles sont visibles ainsi que des principales lignes de vos vêtements.

« L'art est un mensonge qui dit la vérité. »
Pablo Picasso

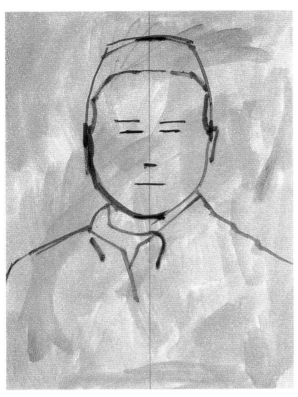

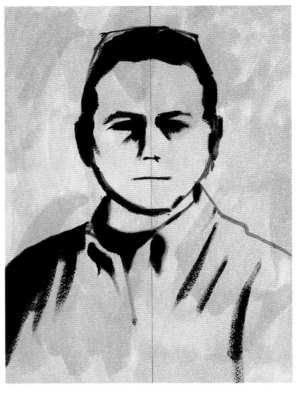

A L'EXTRÊME GAUCHE
L'autoportrait : ajout du
contour des cheveux, des
sourcils et du col.

EN HAUT A GAUCHE, EN
BAS A GAUCHE
ET EN BAS A DROITE
Les dernières étapes :
peindre les trois principales
zones de ton.

A DROITE ET A L'EXTRÊME
DROITE
Deux études au crayon 4B.

Ensuite, les yeux mi-clos, observez l'image que vous renvoie le miroir en vous efforçant de tout voir, vêtements et arrière-plan inclus, en termes de masses, de zones sombres, de zones claires et de zones intermédiaires.

Commencez par les zones sombres – pour la peinture à l'huile, il vaut généralement mieux travailler du sombre au clair. À l'aide d'un couteau à palette, mélangez une grande quantité de peinture, en ajoutant cette fois-ci un peu plus de terre de Sienne brûlée que d'outremer. Appliquez ce mélange avec une brosse large, en vous laissant guider par les lignes existantes plutôt que par les contours. Peignez ces zones à traits plutôt larges que trop fins ; il sera toujours possible de les retoucher lors des étapes suivantes en repeignant sur leurs limites. Vérifiez que votre tête n'a pas changé de position.
Passez ensuite aux zones intermédiaires. Celles-ci sont souvent plus difficiles à déterminer, surtout là où elles se fondent dans les zones claires. Les yeux à demi-fermés, observez-les très attentivement. Mélangez de la peinture, en plus grande quantité que nécessaire, rajoutant cette fois-ci un peu plus d'outremer mais également un peu de blanc pour obtenir un ton intermédiaire. Ce mélange sera plus épais et plus opaque en raison du blanc. Appliquez la couleur, mais seulement lorsque vous aurez déterminé avec précision l'emplacement exact de chaque touche de pinceau.

Délaissez les petits détails, et ne travaillez que sur les zones principales, les orbites plutôt que les yeux par exemple. Chaque coup de pinceau doit constituer une touche définitive. Travaillez

le fond avec la figure. Si une zone intermédiaire les chevauche tous deux, peignez-la comme s'il s'agissait d'une seule et même zone.

Terminez par les zones claires. Mélangez à nouveau de la peinture, en ajoutant cette fois-ci davantage de terre de Sienne brûlée que d'outremer, ainsi qu'une grande quantité de blanc. Peignez-les également à coups de pinceau définitifs. Veillez à peindre toutes ces zones que vous observez dans le miroir, et seulement celles-ci : ne remplissez pas les vides laissés par les tons sombres et intermédiaires si ceux-ci ne correspondent pas aux zones claires. Retouchez si nécessaire votre travail. Portez votre attention sur les contours plus ou moins marqués délimitant les zones. Observez ces différents contours et peignez-les comme vous les voyez. Après avoir achevé votre travail, nettoyez pinceaux et palette. L'objet de cet exercice n'était pas de vous apprendre à peindre un portrait étape par étape mais seulement de vous montrer comment :

- déterminer l'emplacement de la tête ;
- déterminer les proportions de la tête ;
- manier peintures et pinceaux ;
- utiliser les espaces négatifs ;
- découvrir l'importance des tons ;
- voir les grandes lignes ;
- travailler ensemble la figure et le fond.

Vous aurez également découvert comment les formes semblent se modifier au cours du travail ; qu'il faut constamment procéder à des retouches et combien les étapes initiales sont avares de promesses.

3.Le dessin

La façon la plus sûre d'apprendre le dessin, technique de base sous-jacente à la peinture, consiste à dessiner le plus régulièrement et le plus souvent possible. Plus vous vous exercerez, plus vous constaterez vos progrès. Dessinez chaque jour, dessinez tout, n'importe quoi et n'importe qui. Ne vous laissez pas décourager par vos échecs ; ceux-ci seront porteurs d'enseignements durant votre apprentissage.

Dessinez donc autant que vous le pouvez, mais que cela ne vous entraîne pas à exécuter trop rapidement d'innombrables esquisses imprécises. Au contraire, dessinez des centaines de croquis, en vous appliquant, même si par manque de temps vous devez travailler vite.

La difficulté principale de l'art du dessin, ce n'est pas tant la coordination du geste, ou le maniement du crayon, que d'apprendre à *voir*. C'est là que réside la clef. Il ne suffit pas de regarder : vous devez observer avec précision.

Une zone de notre cerveau classe les choses par catégories, puis informe le reste de l'encéphale : « Vous pouvez maintenant cesser de regarder ceci, nous lui avons donné un nom et nous en possédons une image générale. » Et c'est alors que vous tentez de représenter sur le papier l'idée que vous avez de la chose plutôt que sont aspect réel. Voilà le premier écueil à éviter.

CI-DESSUS
Simple étude au crayon

A GAUCHE
Série d'esquisses au stylo à bille et crayon soluble dans l'eau.

A DROITE
Amedeo Modigliani
Jacques et Bertha Lipchitz, 1916
Huile sur toile, 80 × 53,3 cm
Personnalité et art de la composition s'unissent en un talent sûr.

A GAUCHE
En dessinant sous des angles inhabituels, cela contribuera à aiguiser votre sens de l'observation. Cette rapide esquisse au stylo à bille jetée dans un carnet de croquis nécessitait des retouches au crayon pour être intelligible.

Le second écueil tient aux proportions. Notre cerveau pense également : « Si quelque chose est important, cela doit être grand. » Lorsqu'on exécute un portrait, par exemple, les yeux, le nez et la bouche, sont pensés en tant qu'éléments constitutifs essentiels ; vous aurez alors tendance à les représenter en exagérant l'espace qu'ils occupent dans le visage. La seule façon de surmonter ce défaut consiste à regarder l'ensemble en même temps que la partie, et d'établir constamment un rapport de l'une à l'autre.

Il s'agit tout d'abord d'apprendre à voir. L'écueil à éviter, c'est de laisser glisser votre regard sur le sujet durant quelques brèves secondes pour vous affairer de nouveau pendant de longues minutes sur votre dessin avant de jeter un nouveau coup d'œil au modèle. Vous devrez procéder exactement de manière inverse. Fixez longuement votre sujet du regard, jusqu'à le percevoir dans sa réalité, et non comme vous vous attendez à le voir ou selon l'idée que vous vous faites de lui. C'est seulement alors que vous serez en mesure de dessiner un trait significatif sur le papier.

Dessinez pour développer votre perception et votre compréhension des choses. Si vous parvenez à comprendre ce que vous avez vu en le dessinant, le dessin traduira cette compréhension à la personne qui l'observera et elle sera alors également en mesure de le comprendre. Dessinez ce que vous voyez d'un visage ou d'un sujet qui vous intéresse et efforcez-vous de communiquer cet intérêt. Si vous ne dessinez que dans le seul objectif de produire un « bon dessin », il y a des chances que cela aboutisse à un échec. La qualité du dessin est la conséquence d'un travail, et non son but.

Pour dessiner quoi que ce soit, il n'existe pas de solution toute faite, ni unique. Il suffit que votre regard s'interroge sur les choses et qu'il délivre son résultat. C'est pourquoi :

● exercez-vous autant que possible ;
● OBSERVEZ jusqu'à VOIR, puis dessinez ce que vous avez vu ;
● établissez le rapport des parties avec le tout.

« Il ne faut jamais avoir peur de commettre des erreurs, mais toujours craindre d'abandonner à cause de celles-ci. » – E. S. Lumsden

Avant d'exécuter un portrait, faites un grand nombre d'études simples. Vous n'aurez besoin que peu de choses pour dessiner – un stylo à bille fera l'affaire – ainsi qu'un support, une rame de papier bon marché, par exemple, et une tablette à attaches. Dessinez n'importe qui, les membres de votre famille, vos amis ou des gens dans la rue. Ne vous précipitez pas pour dessiner le visage ; de manière paradoxale, il sera préférable au début de ne pas s'en soucier. Dessinez les attitudes de vos modèles, leur façon de se tenir. Et ne les dessinez pas seulement de face, mais également de profil, de dos, de dessus ou de dessous.

Ne demandez pas à vos modèles de poser, mais saisissez la moindre occasion d'immobilité relative. Lorsqu'ils lisent ou regardent la télévision, par exemple, les enfants s'endorment parfois. S'ils changent de position, commencez simplement un nouveau dessin. Que le dessin soit achevé ou non n'a aucune importance. Ce qui est essentiel, c'est que votre dessin soit une étude exécutée avec concentration. Les croquis de ce type vous seront profitables à plus d'un point :

● le fait de dessiner aiguise votre regard, vous permet de voir davantage, et de voir plus clairement ;

● vous constaterez progressivement que vous saurez reconnaître vos modèles même sans

CI-DESSUS
Les enfants demeurent parfois immobiles en regardant la télévision, mais cela ne dure pas longtemps.

A L'EXTRÊME GAUCHE
Une leçon de violon offre une pose intéressante, même si l'instrument n'est pas visible.

A GAUCHE
Dessin d'une pose plus étudiée, à la plume rigide.

discerner leur visage, car une part de leur caractère et de leur personnalité réside dans leur aspect général, leur attitude, la forme de la tête, l'angle du cou, la ligne des épaules ;

● si vous ne disposez que de peu de temps, vous devrez vous concentrer sur les lignes principales, sur les formes et les masses importantes, et non sur un détail isolé du reste du sujet ;

● ce type de dessin manifestera vraisemblablement davantage de caractère qu'une pose rigide.

CI-DESSUS
Rembrandt
Hendrickje Stoffels, 1659
Huile sur toile,
101,9 × 83,7 cm

Deux autres occasions de
dessiner – au téléphone et
devant la télévision.

Progressivement, sans même vous en
rendre compte, vous dessinerez les traits
essentiels d'un visage. Cela doit venir naturellement. Commencez par la simple repré-
sen- tation des lignes du contour de la tête,
puis abordez les traits du visage lorsque vous
serez prêt. Vous acquerrez de la sorte une plus
grande assurance.

L'étape suivante consiste à développer
votre travail à partir de ces dessins prélimi-
naires. Cela nécessitera désormais la complicité
de votre modèle : demandez-lui de demeurer
immobile pendant quelque temps, disons 20
à 30 minutes pour commencer, afin qu'il ne
soit pas trop ennuyé de poser ni ne ressente
d'inconfort. En outre, cette durée n'excédera
pas de beaucoup le temps de travail consacré
aux dessins croqués précédemment.

A nouveau, occupez-vous d'abord de l'essentiel. Plutôt que de consacrer les 20 minutes de pose à tenter d'obtenir la courbe
exacte de la narine gauche, cherchez à représenter l'attitude, l'angle de la tête et ses lignes
générales.

Dessinez les éléments du corps que vous
souhaitez représenter et ne vous concentrez
pas encore sur la tête. De même en ce qui
concerne l'arrière-plan ; si votre modèle ap-
puie sa tête sur le dossier d'un fauteuil, vous
devrez au minimum indiquer la présence du
fauteuil et la façon dont la tête y repose, car
ce ne sont pas deux éléments isolés, mais ils
se présentent ensemble à votre regard.

Pour exécuter ces dessins, utilisez n'importe lequel de vos instruments préférés, ainsi
que des feuilles de papier de dimensions va-

Sauf l'esquisse tirée d'un carnet de croquis, ci-dessous, les dessins de cette double page sont tous des études de bustes exécutées avec la coopération du modèle durant une pose assez longue

riables. Respectez scrupuleusement le temps imparti ; lorsqu'il s'est écoulé, cessez votre travail. La contrainte temporelle peut soutenir la concentration.

Il y a un monde entre un dessin au trait léger et un dessin hésitant. Les lignes même les plus pâles, peuvent constituer un dessin définitif. En commençant un dessin à l'aide d'un médium tendre tel que le fusain ou le crayon, il sera raisonnable de ne pas appuyer le trait au début, puis de le renforcer à mesure que la structure apparaît. Au contraire, il est possible d'exécuter un dessin hésitant en lignes épaisses et sombres, mais celui-ci sera moins satisfaisant.

A nouveau, certains détails du visage viendront s'inscrire naturellement. Ajoutez-les. Limitez progressivement le sujet de vos dessins à la moitié supérieure du corps, puis simplement à la tête et aux épaules. Laissez les traits prendre place dans le dessin à mesure que vous les voyez, en vous rappelant qu'ils ne seront, le plus souvent, guère ressemblants. L'œil humain est constitué d'un ensemble complexe de lignes et de détails, mais si tout ce que vous en voyez se réduit à une sorte de courbe, ou bien à une zone d'ombre, voilà ce que vous devrez dessiner.

Lorsque vous ne dessinez que la tête et les épaules, résistez à la tentation de commencer par les traits du visage. Ils prendront trop d'importance et déséquilibreront le dessin final. Souvenez-vous du dicton : « Un dessin doit être achevé dès le commencement. » Ce qui signifie qu'à chaque étape, le dessin restant à faire est déterminé par les lignes déjà jetées sur le papier. Si vous dessinez la forme de la tête dans son ensemble, vous disposerez déjà de quelques indications relatives à l'emplacement des traits du visage dans la forme dessinée. Mais si vous commencez par une oreille, cela ne vous apprendra rien sur le reste de la tête. Et si vous ne dessinez qu'un œil, celui-ci pourra être magnifiquement exécuté, mais à quoi bon, s'il flotte dans le vide.

Vous découvrirez tout en dessinant que les lignes que vous tracez déploient d'elles-mêmes leurs caractéristiques propres. Il n'existe pas de méthode absolue pour dessiner, il n'y a que celle qui vous convienne, votre façon personnelle, celle que vous découvrirez progressivement en travaillant.

C'est à vous de la découvrir, en expérimentant les caractéristiques des différents médiums utilisés et l'ensemble de la gamme de traits qu'ils permettent de tracer. Étudiez les dessins de peintres célèbres et remarquez combien diffèrent leurs manières de travailler, toutes étant aussi légitimes les unes que les autres : la courbe délicate, le contour lisse et régulier, le geste énergique, le gribouillage névrotique, le trait épais et massif, le tic nerveux, la ligne austère, mystérieuse ou féroce, sensuelle ou maladive, tous contribuent à leur propos.

4. La tête

Vous aurez constaté que ce chapitre s'intitule « la tête », et non « le visage ». La tête dans son ensemble fait partie intégrante du portrait, et les traits du visage sont indissociables de l'ossature qui les sous-tend.

Le chapitre précédent abordait la question de l'extérieur vers l'intérieur, en commençant par le corps pour arriver progressivement à la tête. Il est désormais temps d'envisager le travail de l'intérieur vers l'extérieur. La mobilité de l'expression, la plasticité des traits, l'ondulation des cheveux, toutes reposent sur la massive assise de l'os. Commençons donc par le crâne.

Ne vous alarmez pas à la perspective d'aborder quelques rudiments d'anatomie. Il ne s'agit pas ici de se lancer dans un cours de dissection, ni d'apprendre le nom du moindre muscle du pied gauche, mais de vous donner quelques informations traitant de la représentation de la tête.

La structure osseuse

Un crâne en bon état, honnêtement acquis, est un objet d'étude fort utile. Il vous sera plus profitable d'en observer un si vous en avez la possibilité, que de travailler à partir de simples reproductions. Faites-en quelques dessins ou

peintures sous différents angles, ce qui vous permettra de l'étudier véritablement. Mais rares sont ceux d'entre nous à posséder chez eux un tel objet : si vous ne disposez que de photographies ou de dessins, qu'à cela ne tienne, vous pourrez quand même travailler.

Son expression merveilleusement moqueuse mise à part, la première chose que vous remarquerez en observant un crâne, c'est la vaste coupole lisse qui en constitue le sommet. La boîte crânienne, pour l'appeler de son nom technique, forme en effet la partie la plus importante. Comparé à une tête normale, le crâne présente d'autres particularités : le nez est quasi inexistant, les oreilles manquent, toutes les dents sont apparentes, et l'emplacement des yeux est occupé par de profondes cavités. Toutes ces caractéristiques font que le crâne n'a qu'une lointaine parenté avec la tête d'une personne vivante.

Le sommet du crâne

En observant un crâne, on prend conscience de l'importance du volume de la boîte crânienne (qui renferme le cerveau), comparée aux parties correspondant à la face. En dessinant une tête, il arrive souvent que l'on minimise le sommet du crâne. Celui-ci est

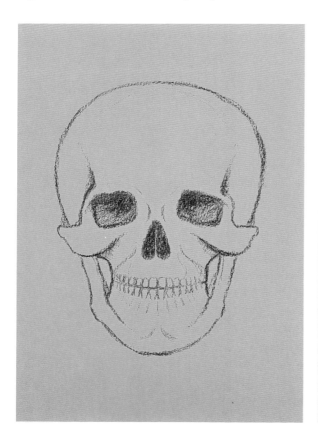

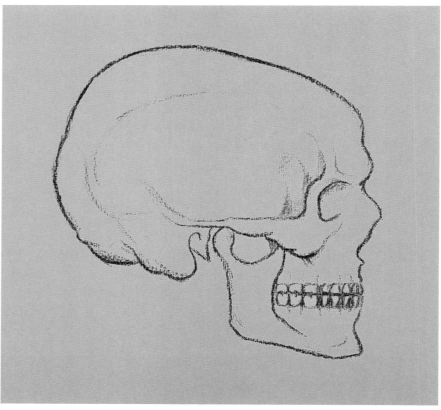

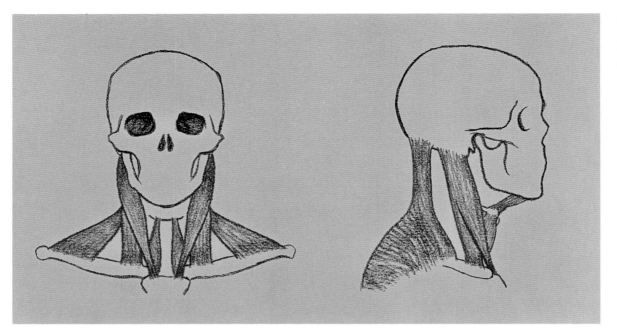

A GAUCHE
Vues de face et de profil
des muscles du coup,
montrant les
sterno-cléido-mastoïdiens,
remarquables par l'étendue
de leur surface.

assez élevé au niveau du front, plus haut qu'on ne pourrait le croire, puis, à partir du sommet du front, le crâne s'incurve doucement vers l'arrière, avant de plonger vers le bas, décrivant un demi-cercle presque parfait qui s'achève à peu près à la hauteur de la rangée des dents supérieures. C'est un point important, car ici le cou rejoint en apparence l'arrière de la tête.

Les orbites

Elles semblent immenses. Remarquez leur forme : elles ne sont pas rondes comme on pourrait le croire. Observez l'anneau osseux qui entoure et protège chaque orbite, et plus particulièrement l'os constituant les pommettes, en dessous, ainsi que l'arc incurvé qui prend naissance autour du bord extérieur de l'orbite. Tout ceci peut-être perçu comme des formes constituant autant de plans. L'arête qui surmonte l'orbite ne correspond pas nécessairement à la ligne du sourcil.

Le nez

Vu de face, il se présente sous la forme d'une double cavité. Vu de profil, et voilà qui est plus important, on remarque que seule la partie supérieure du nez est dotée d'une base osseuse. Glissez un doigt le long de votre nez pour découvrir où s'arrête l'os nasal.

Le pont que constitue l'os nasal entre les deux orbites est une structure rigide située au centre de la surface de la tête, formant ainsi un excellent point de référence pour le portraitiste. Après avoir tracé sur votre support l'emplacement de la tête et de ses formes principales, déterminez cette zone qui vous servira de point pivot à partir duquel vous vous référerez pour dessiner les autres éléments de la tête.

La mâchoire inférieure et les dents

A la différence de la mâchoire supérieure, fixe, la mâchoire inférieure est mobile. Remarquez combien sa position est basse par rapport au reste du crâne. Vue de face, elle présente une courbe relativement régulière ; vue de côté, elle a la forme d'un L dont l'angle est très obtus.

Les dents, dépourvues de lèvres et de joues, paraissent extrêmement proéminentes. Celles de devant, les incisives, peuvent déterminer la forme d'une bouche. Si les lèvres sont légèrement entrouvertes, les dents visibles singularisent fréquemment cette bouche.

L'oreille

L'oreille n'est qu'un petit orifice. Cette forme compliquée qui, pour capter le son, fait saillie de part et d'autre de la tête n'est pas formée d'os. La circulation sanguine y est cependant importante, ce qui explique pourquoi les oreilles, et surtout les zones d'ombre dans les pavillons, peuvent sembler si rouges.

Concernant l'art du portrait, les éléments essentiels du crâne sont sa forme générale et le fait que par endroits il n'est recouvert que de peau ; ce qui a un effet déterminant sur ce que nous voyons, tandis qu'à d'autres endroits, il est recouvert de muscles ou de cheveux.

Si ce sujet vous intéresse, n'hésitez surtout pas à l'approfondir, en étudiant également les muscles. Il existe de nombreux ouvrages d'anatomie destinés aux peintres.

Vous devez comprendre la structure des muscles du cou afin de ne pas le représenter sous la forme d'un cylindre peu convaincant. Le point principal, c'est la paire de muscles (sterno-cléido-mastoïdiens) s'attachent sous

« Si vous ne vous taisez pas, je vous peindrai telle que vous êtes ! » – Augustus John, s'adressant à un modèle bavard

l'oreille, derrière celle-ci, puis s'incurvent vers le bas et vers l'avant, avant de se séparer en eux parties, l'une rejoignant la clavicule, l'autre le sommet du sternum. On constate une séparation bien marquée entre les deux extrémités se rattachant au sternum. Les clavicules, également proéminentes, montrent une protubérance au niveau du cou, et ne sont pas tout à fait horizontales, mais légèrement inclinées vers le haut.

A GAUCHE
Alesso Baldovinetti
Portrait de dame en jaune,
v. 1465
Tempera sur bois,
62,9 × 40,6 cm

Les proportions

Examinons à présent les proportions de la tête. Tout d'abord, un petit mot d'avertissement. Un grand nombre d'ouvrages les analysent en détail, mais selon des systèmes qui posent tous un problème fondamental : ce sont en effet des vues de face ou de profil, présentées sur un plan horizontal. Il suffit que la tête ne respecte pas ces positions idéales pour que s'effondrent ces systèmes élevés à la gloire du noble canon de la proportion.

Vous trouverez néanmoins quelque utilité à les appliquer, en particulier au début de votre apprentissage, compte tenu qu'il ne s'agit pas d'une science exacte mais de règles d'ordre général. Ces systèmes vous permettront d'éviter quelques écueils courants, qui consistent notamment à :

- minimiser le volume du sommet de la tête ;
- minimiser le volume de l'arrière de la tête ;
- minimiser l'oreille et la placer trop près du visage ;
- rallonger le nez ;
- sous-estimer l'angle du cou et se méprendre sur son point de jonction avec l'arrière de la tête.

Étudiez les schémas présentés ci-dessous, mais ne vous éloignez jamais de cette règle d'or : peignez ce que vous voyez. Déterminer dans la pratique les proportions exactes, en évitant les écueils énumérés plus haut, voilà l'essentiel pour l'art du portrait. Une infime variation peut en effet transformer une ressemblance en différence ; c'est pourquoi vous ne devrez pas hésiter à mesurer. Quelle est la largeur de l'œil comparée à la largeur de la base du nez ? Quelle est la distance du menton au sternum comparée à la distance du menton aux sourcils ? Quel est l'angle formé par une ligne tracée de l'angle externe de l'œil au centre de la base du nez ? Ici, tout est affaire de proportions, et d'incessantes comparaisons des mesures.

Le « fil à plomb », l'utilisation des lignes verticales, vous sera également d'un grand secours. Tenez votre pinceau verticalement face à vous et déterminez quels sont les traits du sujet qui coïncident avec cette verticale. Sur la tête vue de face, l'angle interne de l'œil est généralement situé immédiatement au-dessus de l'aile de la narine.

La perspective

La perspective traite de l'angle selon lequel nous regardons les choses. A mesure que bouge une tête, dans notre direction ou en s'éloignant, vers le haut, le bas ou le côté, la vue que nous en avons se modifie. La perspective linéaire n'est pas de grande utilité en ce qui concerne le portrait, car il n'y a guère de lignes droites sur une tête. En revanche, les lignes apparentes sont non seulement courbes, mais aussi disposées selon des plans incurvés.

Lorsque que l'on regarde un visage de face, les yeux semblent de taille identique, mais si le sujet tourne la tête de trois quarts, l'œil le plus proche de l'observateur apparaîtra plus large que l'œil le plus éloigné. En outre, si ce dernier est légèrement plus distant, il est également situé sur un plan s'incurvant progressivement avec l'éloignement. Le fait de dessiner cet œil doit nous montrer que la tête décrit une sphère. Il en va de même avec la bouche : vu de trois quarts face, le raccourci représentant la partie la plus éloignée de la bouche doit montrer que celle-ci est incurvée.

Votre cerveau vous indiquera certainement que les lignes que vous vous apprêtez à tracer pour représenter la partie la plus éloignée de

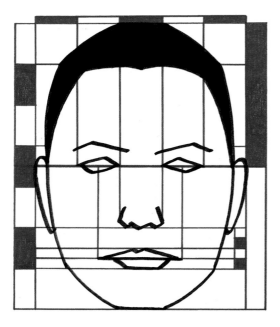

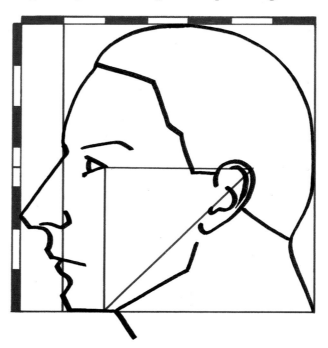

A GAUCHE
Les proportions théoriques de la tête, de face et de profil.

CI-DESSUS
Edgar Degas
Femme accoudée près d'un vase de fleurs ou *La femme aux chrysanthèmes*, 1858-1865
Huile sur toile, 73,7 × 92,7 cm

la bouche formeront un ensemble incompréhensible. Mais si vous parvenez à les dessiner comme vous les voyez, le résultat sera certainement vraisemblable.

Aussi, nous insistons, peignez ce que vous voyez. Exercez-vous à dessiner ou à peindre des têtes selon des angles inhabituels, et bien vite vous acquerrez le sens de la perspective.

Formes principales, proportions et perspective fournissent les informations de base nécessaires à l'exécution d'un portrait. Plus vous comprendrez ce que vous peignez, plus votre travail sera réussi. C'est pourquoi, il est temps désormais d'examiner plus en détail les traits du visage.

Les traits du visage

Si cette question a été réservée pour la fin de ce chapitre, c'est précisément parce qu'avant d'étudier les traits du visage proprement dits, vous deviez d'abord en connaître l'emplacement.

Les illustrations de ce chapitre doivent être considérées comme autant de schémas, et non

comme des méthodes visant à reproduire les traits du visage ; elles sont seulement destinées à vous aider à comprendre ce que vous voyez. Il vaudra la peine d'exécuter plusieurs séries d'études équivalentes à celles qui sont figurées ici, dessinées ou peintes, pour explorer la conformation des traits du visage, même si plus tard vous devez décider de ne plus jamais les représenter de manière aussi précise et détaillée.

Les oreilles

Bien que décollées sur le côté, les oreilles ne sont pas simplement attachées à la tête, elles s'y implantent et canalisent le son. Étudiez-les soigneusement (dessinez-en des études) jusqu'à ce que vous compreniez leurs circonvolutions. Outre leur aspect différent, elles n'en présentent pas moins des caractéristiques structurelles communes : un lobe, un contour extérieur incurvé, une arête intérieure et une profonde baie s'enfonçant dans la tête. Observez d'abord ces éléments et leurs proportions, la façon dont ils s'agencent l'un dans l'autre, puis comment la variété de leurs incurvations détermine un motif rythmique.

Les yeux

Nous ne voyons qu'une petite portion de l'ensemble du globe oculaire. Les paupières sont

incontestablement épaisses, ce que l'on remarque plus particulièrement en les observant de côté. Lorsqu'on regarde l'œil de face, la paupière supérieure peut projeter une ombre sur la partie supérieure visible de l'œil, et le bord de la paupière inférieure s'incurve vers l'extérieur, laissant ainsi voir comme une marge claire.

Lorsque l'œil est ouvert, le pli de la paupière supérieure est également important : les formes qu'il délimite avec le sourcil d'une part et avec le bord inférieur de la paupière d'autre part, sont des éléments bien définis de l'aspect général de l'œil. Si vous dessinez le sourcil avant l'œil, vous risquez de ne plus disposer de place suffisante pour dessiner le pli de la paupière supérieure.

Notez que la courbure du bord des paupières supérieure et inférieure n'est pas identique, et que la paupière supérieure vient recouvrir la paupière inférieure à l'angle externe de l'œil, tandis qu'à l'angle interne celles-ci délimitent une petite excroissance rose (appelée caroncule), et que la « ligne » de la paupière supérieure se prolonge vers l'intérieur en descendant.

La partie supérieure de l'iris est généralement masquée par la paupière supérieure, tandis que son bord inférieur semble reposer

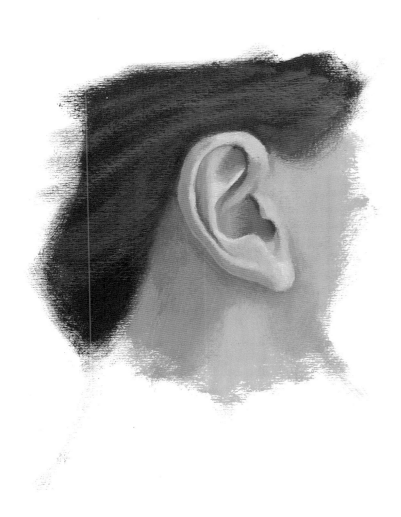

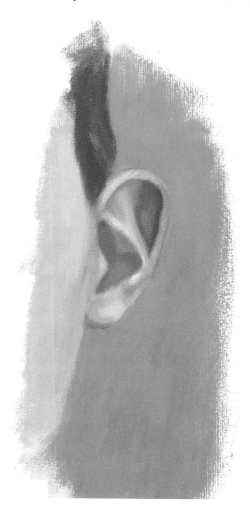

A GAUCHE, A DROITE
ET EN BAS
En exécutant à l'huile des
études détaillées des yeux,
du nez et de la bouche,
vous aurez une meilleure
compréhension de leurs
structures respectives.

A DROITE
Toute étude de la bouche
doit inclure l'ensemble de
la mâchoire inférieure, et
non pas seulement les
lèvres.

sur la paupière inférieure. Remarquez aussi que si les yeux sont disposés le long d'une ligne horizontale, ils se trouvent également sur un plan courbe : le visage s'incurve déjà au niveau de l'angle externe des yeux.

Le nez

Si les nez présentent entre eux des différences considérables, ils n'en partagent pas moins tous une structure comparable : une arête centrale, une extrémité plus ou moins bulbeuse, et deux narines. L'arête centrale n'est pas rectiligne, mais montre une courbure descendante. Notez comment les parties latérales du nez s'implantent dans les joues. Observez les plis situés entre les ailes des narines et les joues, car si vous leur donnez trop d'importance, vous risquez de vieillir votre modèle d'une décennie.

Si vous estimez avoir tendance à rallonger excessivement le nez du sujet, tendez la main devant vous, de façon à masquer la bouche du modèle et à ne voir que ses yeux et son nez ; cela vous donnera une idée plus précise de leurs proportions respectives.

La bouche

Pour le portraitiste, la bouche est sans aucun doute l'élément le plus problématique du visage. Car il ne s'agit pas seulement d'une paire de lèvres placée dans le visage quelque part entre le nez et le menton. Il est essentiel de la situer dans son contexte. C'est pourquoi, si vous dessinez des études de bouche isolée, considérez-la comme un élément de l'ensemble de la partie inférieure du visage.

Les différents plans qui entourent la bouche doivent être scrupuleusement observés et travaillés. La plus petite modification de ce que vous voyez peut métamorphoser une expression normale en épouvantable grimace.

Les deux fines arêtes situées entre le nez et la lèvre supérieure pourront vous aider à déterminer l'emplacement de la bouche, de même que l'ombre projetée par la lèvre inférieure. La ligne qui sépare les deux lèvres, et qui est généralement l'élément le plus visible de la bouche, doit être observée avec attention, tandis que le ton des bords extérieurs des lèvres se fond presque exactement dans celui de la peau, de la carnation, qui les environne. On observe parfois une zone plus pâle située juste au-dessus de la lèvre supérieure.

Les commissures des lèvres – elles aussi situées dans un plan incurvé – peuvent constituer un réel problème, car elles semblent détenir la clef de l'expression. Surtout ne forcez pas le trait. Ne cherchez pas à esquiver la difficulté, mais sachez qu'il est très facile de surestimer ici les changements de ton et d'appuyer le trait, ce qui risque de gâcher votre travail.

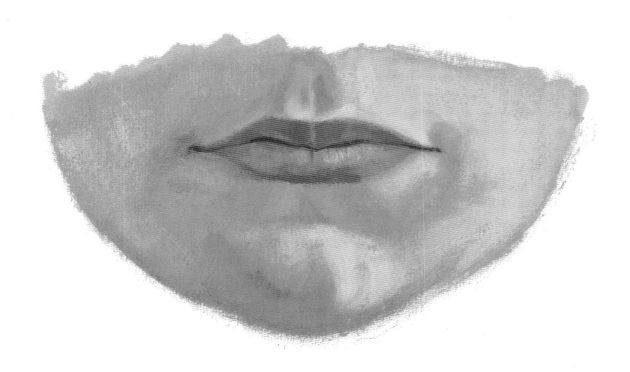

5. Les valeurs

Les valeurs caractérisent l'intensité, la nuance d'une couleur, claire, sombre ou en demi-teinte. Sur une surface, les variations de valeur ou de ton, décrivent plus précisément l'aspect tridimensionnel de l'objet ; dans le portrait, les tons contribuent à créer l'illusion du volume de la tête représentée. Si vous tracez un cercle caractérisé uniquement par sa circonférence, il sera impossible de décider s'il s'agit d'un simple cercle plat ou d'une sphère. C'est seulement en rajoutant les tons que la différence sera perceptible.

Le ton d'une zone dépend de l'intensité de la lumière qui l'éclaire, celle-ci dépendant à son tour de l'angle de la source lumineuse. Les plans faisant face à la direction de la lumière sont les plus clairs, puis s'assombris-sent progressivement à mesure qu'ils s'éloi-gnent de la source lumineuse, et ceux qui ne sont pas exposés à cette dernière ne reçoivent (en théorie) aucune lumière.

A la jonction de deux zones de tons diffé-rents, la façon dont celles-ci se rencontrent décrit la forme de la surface. Sur une surface doucement incurvée, une sphère ou un front par exemple, la variation du ton est progres-sive. Lorque la variation du ton est plus abrupte, sur l'arête d'un cube ou à l'intersec-tion du nez entre les deux orbites, le change-ment de ton est bien plus marqué. La façon dont deux tons se rencontrent peut égale-ment décrire la texture d'une surface. Une surface unie, comme la peau, présente une variation de ton uniforme (qu'elle soit

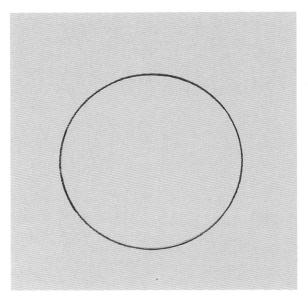

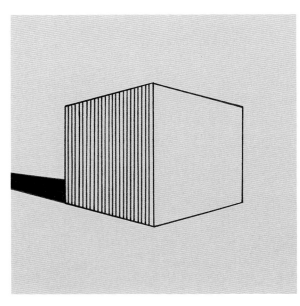

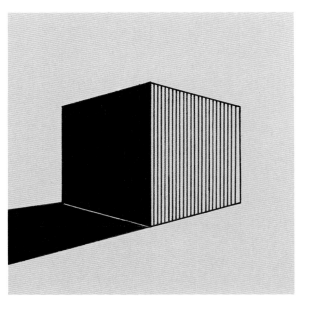

CI-DESSUS A L'EXTRÊME GAUCHE ET A GAUCHE
L'ajout d'un ton dans un cercle fait apparaître la forme sphérique.

A L'EXTRÊME GAUCHE ET A GAUCHE
La valeur d'un ton sur une surface dépend de l'intensité la lumière qui l'éclaire.

abrupte ou graduelle), mais sur une surface rugueuse, la variation paraît plus irrégulière, plus accidentée ou hachée.

L'ombre propre et l'ombre portée

Un ton sombre, peu éclairé, peut se trouver sur une surface non exposée à la lumière, ou sur une surface plongée dans l'ombre portée d'un objet opaque interceptant les rayons lumineux. Le point important à retenir ici, c'est que le premier cas montre la forme de la zone plongée dans l'ombre, tandis que le second décrit la forme de l'objet projetant son ombre. Une surface irrégulière peut déformer le contour de l'ombre portée (par exemple, l'ombre du nez sur la joue), mais l'ombre portée est toujours déterminée par l'objet interceptant les rayons lumineux.

La lumière réfléchie

En observant une sphère, on peut s'attendre à ce que la partie la plus sombre soit également la plus éloignée de la lumière. En fait, ce n'est pas le cas : on remarque bien une marge claire le long de ce qui devrait être en théorie le bord le plus sombre. Ce phénomène porte le nom de lumière réfléchie, qui est la lumière reflétée par les surfaces contiguës. Cette zone n'est pas aussi lumineuse que la partie de la sphère exposée en pleine lumière, puisqu'elle ne reçoit pas directement cette lumière.

La lumière réfléchie contribue à montrer la forme d'un objet. On peut souvent l'observer à la surface de la tête du sujet, par exemple dans l'ombre latérale du visage, où elle permet également de définir la forme

Les reflets

Une surface lisse et brillante renvoie davantage de lumière que d'autres surfaces : ce sont les reflets qu'on peut par exemple observer sur une boule de billard, mais pas sur une balle de tennis. Les reflets contribuent également à décrire la forme d'un objet, et leur emplacement exact indique l'angle de la source lumineuse.

L'utilisation des reflets en peinture, qui se traduisent par des rehauts, pose cependant un problème majeur. Le ton le plus clair disponible sur la palette, c'est le blanc pur. Voilà qui rend difficile la représentation d'un reflet sur une surface déjà très claire : comment, par exemple, peindre un reflet sur une boule de billard blanche ? La solution existe ;, celle qui consiste à assombrir la tonalité générale de la boule, mais cela signifie également qu'il sera nécessaire, pour compenser, d'assombrir les valeurs des autres éléments du tableau et donner ainsi une ambiance plus sourde.

L'échelle des tons

S'il existe en théorie un nombre infini de gradations entre le clair et le sombre, en pratique, lorsque l'on peint, il est nécessaire de disposer d'une échelle exploitable des tons. Commencez avec la plus élémentaire, évidemment constituée du blanc et du noir. Observez votre modèle et répartissez tout ce que vous voyez en clair et obscur. Sur du papier blanc ou de ton clair, et à l'aide de noir ou d'une autre couleur sombre, peignez les zones sombres. Ne vous contentez pas de tracer les contours des masses sombres puis de remplir ces dernières. Le ton est différent de la ligne ; il concerne davantage la surface que le contour.

Puis effectuez le travail inverse : sur un fond sombre, peignez exclusivement les zones claires. Vous devrez procéder avec circonspection, en utilisant davantage les espaces négatifs. La troisième étape consistera à peindre sur un fond en demi-teinte à la fois les

CI-DESSOUS
Étude en deux tons de base – peinture noire sur papier clair.

zones sombres et les zones claires, de sorte que vous devrez observer simultanément leurs formes respectives. Travaillez-les ensemble et retouchez-les l'une par l'autre. Pour ces exercices, une puissante source lumineuse rendra plus visible le contraste des tons.

Ensuite, introduisez une demi-teinte entre les tons sombres et les tons clairs. Exécutez une étude intégralement monochrome, à l'aide d'une seule couleur et de blanc, et voyez si vous avez progressé. Pour changer, vous pourriez peindre une vue de trois quarts, afin qu'un trait de crayon tracé au milieu du support ne vous soit cette fois-ci d'aucun secours et, en guise de modèle, faites appel à une personne plutôt que de réaliser votre autoportrait.

Ici encore, refaites le travail avec de nombreuses variantes. Essayez de peindre dans l'ordre inverse, les tons clairs, puis les demi-teintes. Commencez ensuite avec les demi-teintes. Exécutez plusieurs études de ce type, car ici réside l'une des clefs de la réussite d'un portrait. Dès que vous maîtriserez la perception des principales divisions du ton, vous posséderez les bases

A L'EXTRÊME GAUCHE
Peindre à rebours –
peinture blanche sur papier
noir.

A GAUCHE
Tons clairs et tons sombres
travaillés ensemble.

CI-DESSOUS
Les trois tons, la base de
l'étude des valeurs de ton.

nécessaires pour représenter la tête de votre modèle en tant qu'objet en volume.

Développer cette échelle fondamentale de trois tons en une échelle de cinq, sept ou neuf tons ne devrait ensuite vous poser aucun problème. Ces exercices relatifs à l'échelle des tons, qui ne sauraient nier l'infinité de variations de tons observées sur la tête du modèle, se contentent de les situer dans leur contexte. Supposons la présence d'une variation plus claire dans une zone qui, selon vous, est en demi-teinte. Ayant observé la tête selon les divisions générales du ton, vous savez désormais que cette variation n'est pas aussi claire que l'une ou l'autre des zones claires de l'ensemble. En d'autres termes, les divisions générales du ton – trois, cinq, sept ou neuf – sont des divisions effectuées dans les groupes de ton, et toute subdivision supplémentaire devra trouver sa place dans un seul de ces groupes.

Pour conclure ce chapitre, essayez en guise d'exercice de peindre une étude monochrome à l'aide de l'échelle complète des tons. A l'instar de la plupart des études monochromes, le résultat ne sera pas forcément séduisant en termes de peinture, mais ce faisant, vous aurez grandement progressé dans la connaissance de la question des tons, et disposerez d'une base solide pour aborder celle de la couleur.

6. La couleur

Certains peintres naissent avec un sens inné de la couleur, d'autres l'acquièrent progressivement. Quelques-uns des plus grands coloristes ont débuté leur carrière avec une palette réduite, tandis que même parmi les plus grands peintres, d'aucuns ne se sont jamais véritablement souciés de la richesse de la couleur. En fait, il n'existe aucune règle en la matière.

Il y a en revanche des théories de la couleur, aussi nombreuses que merveilleuses, conçues au fil des siècles, ainsi que maints systèmes relatifs à leur application en peinture, expliquant comment les classer et les mélanger. Malheureusement, tout ceci n'est pas nécessairement d'un grand secours lorsque vous êtes confronté à votre modèle, le pinceau en suspens au-dessus de votre palette. Il est vrai que ces théories traitent davantage des couleurs théoriques, tandis que les peintres sont contraints d'utiliser les pigments disponibles dans le commerce.

Voici un résumé succinct des théories de la couleur (les plus utiles) :

● Il existe trois couleurs *primaires* : le jaune, le rouge et le bleu, à partir desquelles ont peut obtenir par mélange toutes les autres couleurs.
● En mélangeant par paires les couleurs primaires, on obtient trois couleurs *secondaires* : l'orange (jaune et rouge), le vert (jaune et bleu), et le violet (rouge et bleu).
● Chacune de ces six couleurs est la *complémentaire*, ou l'opposée, d'une autre. Aussi, la complémentaire du rouge, c'est le vert qui ne comporte pas de rouge, n'étant composé que d'un mélange de jaune et de bleu.
● En mélangeant une couleur avec sa complémentaire, on obtient un gris.
● Dans l'ensemble des couleurs, on peut distinguer les couleurs « chaudes » et les couleurs « froides ». Le mélange de rouge et d'orange est la couleur la plus chaude que l'on puisse obtenir,

CI-DESSOUS
Une gamme chromatique : mélange progressif de deux couleurs sur la rangée horizontale, s'éclaircissant graduellement vers le bas dans chaque colonne par ajout de blanc.

tandis que sa complémentaire, le mélange de bleu et de vert, est la plus froide.

● Une zone de couleur est affectée par la couleur qui l'environne ou la jouxte.

Les gammes chromatiques

Si vous commencez *ex nihilo* à utiliser des couleurs à l'huile, la réalisation de gammes chromatiques simples sera un exercice extrêmement instructif qui renforcera votre confiance en vous.

Sur une feuille de papier, tracez un quadrillage de cinq rangées et de cinq colonnes par exemple. Peignez le carré supérieur gauche avec la couleur de votre choix, sortie du tube. Puis mélangez un peu de blanc et peignez le carré situé immédiatement en dessous ; remplissez ensuite toute la colonne vers le bas, en ajoutant pour chaque carré un peu plus de blanc, jusqu'à ce que le dernier carré en bas de colonne présente la valeur la plus claire possible de la couleur concernée. La progression des valeurs doit être la plus uniforme possible ; au début, vous commettrez certainement des erreurs et devrez effectuer plusieurs essais. Vous découvrirez que certaines couleurs demandent davantage de blanc que d'autres, non seulement parce qu'elles sont plus sombres, mais aussi parce que leur pigment est plus intense.

Choisissez maintenant une seconde couleur, et répétez l'opération du haut en bas de la colonne située à l'extrême droite, en commençant par la couleur pure dans le carré supérieur, puis en l'éclaircissant aussi uniformément que possible jusqu'au carré inférieur.

L'étape suivante consiste à peindre un dégradé progressif de couleur, et non de valeur, le long de la rangée supérieure, de la première à la seconde couleur. Les mélanges de quantités de peinture mathématiquement exacts ne sont ici d'aucune utilité, en raison des différences d'intensité des pigments. Il s'agit ici de réaliser un dégradé de couleurs qui

CI-DESSUS
Un vert identique cerné par différentes couleurs.

CI-DESSOUS
Un gris neutre cerné par différentes couleurs.

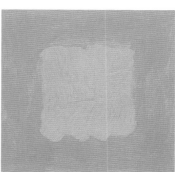

paraisse uniforme. Ensuite, éclaircissez graduellement, avec du blanc, les mélanges de couleur utilisés pour la rangée supérieure en descendant jusqu'à la rangée inférieure, exactement comme vous avez procédé pour les deux couleurs pures.

Si vous répétez ce travail pour l'ensemble des combinaisons possibles de réaliser avec les dix couleurs suggérées dans le chapitre consacré au matériel, vous obtiendrez un grand nombre de gammes de couleurs. Cet exercice pourra vous paraître aussi fastidieux que peu motivant. Mais si vous l'abordez non comme un pensum, mais dans un esprit de recherche, non seulement cette question sera acquise lorsque vous serez en face de votre modèle pour peindre son portrait, mais vous aurez également appris les points suivants :

- l'aspect des couleurs ;
- la modification de celles-ci par ajout de blanc. On remarque parfois une légère variation de teinte de certaines couleurs dans les nuances les plus claires ;
- la transparence ou l'opacité des couleurs pures ;
- les différents gris obtenus avec différents couples de complémentaires ;
- les mélanges obtenus avec des couleurs comparables ou très dissemblables ;
- l'intensité relative des pigments. Certains sont puissants : une touche de trop risque d'anéantir le travail. D'autres sont faibles : seule une grande quantité permet d'obtenir une différence ;
- les caractéristiques de touche des pigments. Certains sont crémeux, d'autres visqueux, d'autres encore ont tendance à couler ou forment une pâte épaisse exigeant un important travail du pinceau.

Choisissez une couleur et peignez avec celle-ci une rangée de carrés, puis entourez chacun d'entre eux d'une autre couleur. Faites de même pour toutes les couleurs. Vous découvrirez ainsi les variations d'aspect des couleurs lorsque celles-ci sont juxtaposées. Mélangez ensuite un gris aussi neutre que possible, peignez une rangée de carrés gris et cernez-les de chacune des couleurs. A l'inverse, cernez de gris neutre chacune des couleurs. Vous serez certainement étonné de découvrir les nombreuses nuances que l'on peut ainsi obtenir avec un gris neutre. La gamme de ce dernier type sera également très instructive. En peinture, l'on est rarement confronté à un gris absolument neutre. Si en observant votre modèle, vous pensez : « La partie claire du visage est plutôt rosée, tandis que la partie sombre est grise », vous devrez déterminer de quelle sorte de gris il s'agit, et quelle est sa couleur.

Les couleurs, ce ne sont pas simplement les yeux bleus, les joues rouges et le nez violacé d'un buveur invétéré ; c'est quelque chose qui doit fonctionner et être recherché sur toute la surface du tableau.

Débuter avec une palette restreinte

Si les gammes chromatiques constituent un moyen excellent pour s'initier aux couleurs de façon abstraite, vous devrez également les étudier par la pratique, en peignant un portrait. La meilleure façon de procéder consiste à débuter avec un nombre restreint de pigments. Si pour votre premier portrait vous décidez d'utiliser une palette d'une vingtaine

A L'EXTRÊME GAUCHE
ET A GAUCHE
Expériences de contrastes
de couleurs sombres.

de couleurs, vous risquez d'obtenir un tableau fort décousu et une profonde déception.

Quelles sont donc les couleurs avec lesquelles commencer un portrait ? On distingue essentiellement entre les couleurs claires comme les cadmiums, et les couleurs terreuses comme les ocres.

Si vous possédez un sens inné de la couleur, vous ne devriez avoir aucun problème. En revanche, si vous manquez d'assurance, débutez alors par les couleurs terreuses, car celles-ci constituent une excellente base de tons.

Si la palette des dix couleurs de base plus le blanc présentée dans le chapitre relatif au matériel (p. 18) est un choix standard, elle n'en est pas moins fort utile. Ignorez pour l'instant le vert émeraude ainsi que la terre de Sienne brûlée, car ce ne sont pas des couleurs primaires, de même que le cramoisi d'alizarine qui, bien que séduisant, n'est pas une couleur idéale pour débuter. Ce qui nous laisse deux jaunes, deux rouges, deux bleus et le noir. Ce dernier fera provisoirement office de troisième bleu.

La palette la plus atténuée que vous pourrez obtenir à l'aide de ces couleurs sera composée d'ocre jaune, de rouge permanent clair et de noir d'ivoire (la plus lumineuse sera composée de jaune de cadmium, de rouge de cadmium et de bleu de cobalt, couleurs toutes assez proches de l'idée que l'on se fait en général de ces trois couleurs).

Ne soyez pas atterré par la perspective de peindre un portrait exclusivement avec du blanc, un jaune terreux, un rouge terreux et du noir. En pratique, c'est une véritable révélation que de découvrir la richesse des coloris possibles avec une gamme de couleurs aussi limitée qu'atténuée, par des mélanges et des juxtapositions soigneusement calculés. Vous vous demanderez certainement comment

obtenir un vert, par exemple, à partir de couleurs aussi peu prometteuses. Un mélange d'ocre jaune et de noir d'ivoire avec du blanc, qui dans un autre contexte semblerait aussi peu séduisant qu'une tache de boue, semble vert lorsqu'on le juxtapose à du rouge clair.

CI-DESSOUS
Étude sur panneau d'isorel
de petit format.

A GAUCHE
Portrait exécuté à l'aide de la palette de base des coloris terreux, ocre jaune, rouge permanent clair et noir d'ivoire. Dans cette palette, les bleus et les verts sont davantage suggérés qu'affirmés.

Vous ferez bien d'autres découvertes sur les couleurs en les utilisant pleinement, plutôt que de préparer une gamme complète de couleurs et de tremper le pinceau au petit bonheur dans celle qui semble la plus appropriée.

Supposons que vous ayez commencé votre travail avec ce groupe de couleurs, mais qu'ensuite vous souhaitiez l'aviver un peu. Pour ce faire, ne rajoutez pas de couleur, mais substituez-la à une autre, disons le noir d'ivoire par le bleu de cobalt. C'est un monde neuf qui s'ouvre alors devant vos yeux. Puis remplacez par exemple le rouge permanent clair par du rouge de cadmium. Lumière et couleur entreront à flots dans votre tableau.

En commençant par des groupes restreints de couleurs, tels que celui-ci, vous parviendrez progressivement à acquérir une compréhension globale de certaines de leurs possibilités. Ensuite, vous pourrez rajouter, une à la fois, les trois couleurs délaissées jusqu'à présent — le cramoisi d'alizarine, le vert émeraude et la

« Le dessin et la couleur ne sont pas isolés, tout dans la nature est coloré. Plus les couleurs s'harmonisent, plus le dessin devient précis. »
– Paul Cézanne

« En art, deux plus deux ne font pas nécessairement quatre il s'agirait plutôt de savoir quelle est la forme du jaune. » – Alfred East

A GAUCHE
Léonard de Vinci
Portrait de musicien,
v. 1485
43 × 31 cm

A DROITE
Sally Dray
Lesley
Huile sur toile,
123 × 61 cm

terre de Sienne brûlée – à chacun des groupes et en observer le résultat. N'hésitez pas à expérimenter toutes les couleurs qui vous plaisent. Il y a fort à parier que vous utiliserez de moins en moins un grand nombre de couleurs sur une même toile, et avec les connaissances que vous aurez acquises, vous serez capable de déterminer quel groupe de couleurs sera le mieux approprié au tableau que vous vous apprêtez à peindre.

Remarques sur certaines couleurs

Le noir Certains peintres désavouent le noir, préférant ne jamais l'utiliser de crainte de le voir ruiner les couleurs d'un tableau. D'autres, au contraire, affirment qu'un soupçon de noir peut rendre une nuance plus subtile. Faites vos propres essais, et voyez par vous-même ce que *vous* en pensez, mais dans tous les cas, utilisez le noir comme une *couleur* plutôt que comme un moyen d'assombrir d'autres pigments.

Le brun Cette couleur, qui n'est ni primaire ni secondaire, n'a guère été mentionnée jusqu'à présent. A l'instar du gris, c'est une non-couleur que nous croyons voir partout, mais qui généralement tire sur une autre couleur. Aussi, traitez le brun comme le gris. Si telle zone vous paraît brune, peignez-la en brun, mais déterminez de quelle nuance de brun il s'agit. Si vous devez rajouter du brun, faites-le après mûre réflexion, et non par paresse ou indécision, car le brun peut facilement devenir prédominant dans un tableau.

L'ocre jaune Certains peintres ont également cette couleur en horreur : ils la considèrent aussi comme une non-couleur dont les teintes bourbeuses peuvent gâcher le tableau au-delà de toute imagination. Cette couleur est fort utile pour représenter la peau. Essayez de peindre avec et sans ocre jaune.

Couleur chaude et couleur froide

Il existe un bon moyen pour ordonner toutes les nuances de couleur que présente la peau, en déterminant leur appartenance à la famille des couleurs chaudes ou des couleurs froides. Si l'éclairage sous lequel vous peignez est de couleur chaude, ce qui est généralement le cas, les zones de la tête situées en pleine lumière seront plus chaudes que celles qui y sont moins exposées, les plus froides étant celles se trouvant dans la même direction que l'angle des rayons lumineux. Le plan tourné de l'autre côté sera éclairé par la lumière indirecte que reflètent les autres surfaces, réchauffant légèrement les zones plongées dans l'ombre. La détermination de la « température » des couleurs peut suggérer le modelé de la tête.

La température des couleurs est également utile pour identifier un gris. Voyez d'abord s'il s'agit d'un gris chaud ou d'un gris froid ; si c'est un gris froid, est-ce plutôt un léger gris vert ou un gris bleu plus prononcé ?

N'oubliez jamais qu'un tableau, que ce soit un portrait ou tout autre sujet, doit fonctionner comme un tout, et non comme la réunion incertaine de parties bonnes, mauvaises, ou quelconques.

Chaude ou froide, de ton lumineux ou en demi-teinte, chaque zone particulière de couleur dépend des couleurs qui lui sont juxtaposées, et ces dernières sont elles-mêmes affectées par les couleurs qui les environnent. C'est pourquoi, vous devez tenir compte de la couleur dès le début de votre travail, dès l'instant où vous jetez les grandes lignes de votre composition.

CI-DESSUS
Le bleu de cobalt utilisé à la place du noir d'ivoire dans la palette des couleurs terreuses éclaircit les coloris.

A DROITE
Rosalind Moysen
Autoportrait
Aquarelle, 47 × 32 cm

7. La composition

La composition, c'est la disposition de la peinture dans le cadre, du dessin tracé par les lignes, les tons, les formes et les couleurs par rapport à leurs limites. Imaginons que vous commenciez un portrait en peignant d'abord un œil sur un fond vierge, et que vous continuiez à partir de là. Outre les problèmes (nombreux) qu'implique une telle approche, vous risquez à la fin de votre travail de constater que le visage est « mal » placé, et que la conception générale du tableau n'est absolument pas satisfaisante.

Il vaudra mieux déterminer à l'avance, avec suffisamment de précision, l'emplacement du sujet sur la toile. Cela dépend de la pose. C'est pourquoi, vous devrez tout d'abord décider quelle sera la pose de votre modèle, assis ou debout. La pose idéale doit être aussi naturelle que confortable pour le modèle, exprimer un tant soit peu son caractère, et créer une intéressante disposition des formes. Malheureusement, l'idéal n'est qu'idéal, et il sera souvent nécessaire de faire certains compromis. Le confort du modèle n'est pas à négliger si vous souhaitez obtenir de sa part une coopération pleine et entière.

La pose est dictée en partie par le lieu où sera exécuté le tableau, et plus particulièrement par le mobilier et l'éclairage disponibles. Si le sujet doit poser assis, son siège – tabouret

Trois esquisses d'étude de composition.

CI-DESSOUS
Première étude : composition inintéressante où, notamment, le rebord d'un coussin empiète sur le visage.

haut, chaise à dossier droit, ou fauteuil profond et confortable – influera sur son attitude. L'éclairage disponible – naturel ou artificiel – ainsi que la direction de la source lumineuse constituent le second élément essentiel. Vous devez être en mesure de voir distinctement à la fois votre modèle, votre palette et votre support, et cela peut impliquer une pose particulière du sujet afin que sa tête soit suffisamment éclairée.

Vous disposerez donc, déjà, de quelques indications quant au type de portrait – de profil, de trois quarts ou de face – et à la manière de l'exécuter, en insistant sur le contraste des tons en raison d'une puissante source lumineuse, ou sur de subtiles variations de couleur en raison d'une lumière plus diffuse.

L'étape suivante consiste à déterminer la proportion du corps du modèle que vous souhaitez inclure dans le tableau. On distinguait traditionnellement trois types principaux de

A GAUCHE
Deuxième étude, montrant un vide trop important entre la tête et le livre.

CI-DESSUS
Version finale, articulée sur une puissante diagonale suggérant le monde clos sur lui-même du lecteur plongé dans sa lecture.

« Dans un dessin, la déformation ou l'altération constitue une qualité nécessaire de l'art. Cette déformation ou cette altération n'est non seulement pas un défaut, mais c'est aussi l'une des sources du plaisir et de l'intérêt. Il n'en est cependant ainsi qu'à une seule condition : que cela résulte des efforts renouvelés d'une main talentueuse vers la précision, ainsi que de l'inévitable degré d'erreur humaine dans l'œuvre. »
– Walter Sickert

A GAUCHE
Étude préparatoire de
grand format, au fusain.

A DROITE
Sally Dray
Ben
Huile sur toile,
123 × 61 cm

portrait : le buste (tête et épaules), en demi-longueur ou en trois quarts, en pied (sujet représenté intégralement). Si cette classification s'applique dans une certaine mesure encore aujourd'hui, rien ne vous oblige à vous limiter à une catégorie particulière.

Abordons maitenant la question de la composition proprement dite. Un portrait n'est pas la représentation d'un personnage flottant dans l'espace, mais un tableau limité par les bords du support et éventuellement du cadre qui viendra l'entourer. Le sujet étant considéré en relation avec ces limites, vous devrez décider comment le cadrer au mieux. Essais et erreurs constituent généralement le parcours obligé pour y parvenir : dessinez des études dans les limites d'un cadre et utilisez-les pour déterminer le meilleur emplacement des bords. Celles-ci ne seront pas nécessairement détaillées, mais devront être précises. Sauf si l'arrière-plan est uni, mettez l'accent sur les lignes qui relient le sujet au fond plutôt que sur celles qui l'en isolent.

Essayez diverses façons de cadrer le sujet, puis examinez les formes situées entre le personnage et les bords. Si vous ne les voyez pas distinctement, soulignez-les d'un trait épais et sombre. Si nécessaire, découpez-les avec des ciseaux afin de les isoler de leur contexte. A quoi ressemblent-elles ? Sont-elles symétriques ou non ? Sont-elles dentelées ou incurvées ? Présentent-elles une intéressante diversité ? Conviennent-elles au caractère du modèle ?

Si ces espaces négatifs font évidemment partie intégrante de la composition, cela ne signifie pas qu'ils doivent exclusivement être observés en ces termes. Il est nécessaire que les espaces négatifs et les formes positives soient mis en valeur les uns par rapport aux autres, et soient considérés comme un tout.

Le ton et la couleur interviennent également dans ces considérations. Si la chevelure de votre modèle est sombre, tout comme une partie de l'arrière-plan, ces zones constitueront une unique forme continue. De même, dans un portrait aux couleurs éclatantes, les zones de couleur détermineront d'elles-mêmes des formes, et celles-ci devront être équilibrées.

Lorsque vous aurez décidé de l'emplacement des limites du cadre, vous aurez également défini le format du tableau ainsi que ses proportions en hauteur et en largeur. Il arrive parfois que l'on constate qu'après avoir déterminé le format, celui-ci ne corresponde pas au seul support dont vous disposez. Dans ce cas, vous devrez procéder de la manière inverse, de façon à situer la composition par rapport au cadre, et non le second par rapport à la première.

Les dimensions du tableau ne dépendent ni du format ni des dimensions des études déjà exécutées : elles peuvent être augmentées ou diminuées, à condition que les proportions

soient respectées. La manière la plus simple de procéder consiste à tracer une diagonale qui permettra de conserver un rapport constant entre hauteur et largeur.

L'arrière-plan peut regrouper d'autres éléments que les seuls espaces négatifs environnant le personnage ; on peut également le concevoir en termes de formes positives et négatives – portes, fenêtres, étagères, plantes vertes, etc. C'est à vous de déterminer à la fois comment composer l'arrière-plan en tant que partie intégrante du tableau et les éléments visibles du fond que vous souhaitez représenter.

Cependant, n'oubliez pas que ce que vous voyez de l'arrière-plan pendant que vous peignez influe sur ce que vous voyez lorsque vous regardez votre modèle. Cette question peut revêtir une importance toute particulière aux points de jonction du personnage et de l'arrière-plan sur la surface du tableau. Si vous peignez en une couleur ou un ton différent de ce que vous voyez, cela peut modifier l'aspect de l'élément contigu, surtout si l'arrière-plan

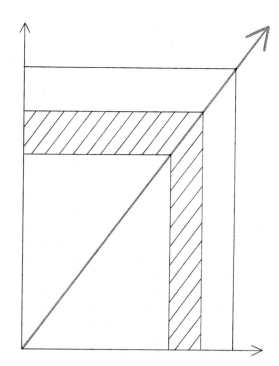

A GAUCHE
Les genoux d'un sujet assis peuvent poser problème.

CI-DESSOUS
En ne disposant que d'un temps limité pour exécuter un portrait, vous ne pourrez aller qu'à l'essentiel.

A DROITE
La diagonale permet de réduire ou d'augmenter l'échelle tout en conservant le même rapport de dimensions.

visible sert au moins de base à l'arrière-plan peint (mais également si celui-ci est peint en même temps que le personnage, et non rajouté après coup). Voici quelques conseils d'ordre général :
- laissez un espace suffisant autour du personnage tout en veillant à ne pas l'isoler au centre du tableau ;
- de même que le portrait représente une tête et non pasun visage seul, la tête doit être soutenue par un cou et des épaules, pour ne pas sembler flotter dans le cadre ;
- cela implique que la tête ne se situe pas trop bas sur la toile. Sinon la tête semblera tomber hors du cadre ;
- les genoux peuvent poser problème lorsque le sujet est assis en face de vous, légèrement en contre-bas. Non seulement le raccourci des membres dans un dessin en perspective se traduit souvent par un effet peu flatteur sur la partie supérieure des jambes, mais les cuisses et les genoux risquent de désorganiser complètement la partie inférieure de la composition. Ce n'est pas un hasard si les portraits figurant des sujets assis derrière une table sont si fréquents ;
- faites confiance à vos yeux. Nous avons traité ici de la composition par étapes successives, mais en pratique, puisque le sujet se présente de manière globale et non sous la forme d'éléments isolés, vos yeux vous indiqueront certainement comment travailler pour obtenir un résultat correct. L'instinct a souvent raison, et trop de réflexion peut porter préjudice à la réussite d'un tableau.

8. Exercices

Vous trouverez dans ce chapitre quelques exercices pratiques qui vous seront certainement profitables. Certains ne présentent guère de difficulté, tandis que d'autres sont plus complexes. Les derniers vous seront probablement les plus instructifs.

Exercice 1 De l'arrière vers l'avant

Préparez votre matériel et faites asseoir votre modèle devant vous, de dos et peignez ce que vous voyez : vous ne serez ainsi pas distrait par les petits détails du visage et devrez exclusivement travailler sur les grandes masses. Observez également ce qui de la personnalité du modèle, s'exprime ailleurs que dans son visage : par la forme et l'angle de sa tête, par le maintien des épaules. Vous devrez également représenter des masses souvent dépourvues de traits caractéristiques, et les peindre de façon à les rendre intéressantes. Exécutez d'autres études en tournant progressivement le modèle vers vous, jusqu'à lui faire face. C'est une bonne méthode pour aborder les difficultés inhérentes à l'art du portrait.

Exercice 2 Sans modèle

Peignez un portrait réellement tiré de votre imagination. Vous prendrez alors conscience de vos lacunes les plus évidentes et saurez observer avec davantage de précision la prochaine fois que vous exécuterez le portrait d'une personne réelle. Vous découvrirez probablement que vous avez tendance, de manière inconsciente, à déformer le personnage pour le faire rentrer dans la composition. Cela vous sera utile pour vos futures compositions, et vous permettra de constater que de telles déformations ne sont pas forcément mauvaises en soi, pourvu qu'elles s'adaptent au tableau précis que vous êtes en train de peindre.

Exercice 3 Sur fond noir

Installez votre modèle dans la lumière d'une unique et puissante source lumineuse, mais détournez-le de sorte que le visage soit éclairé le moins possible. Sur un fond sombre, peignez les zones claires telles que vous les voyez. - Efforcez-vous de les considérer davantage comme un ensemble de motifs abstraits qu'en tant qu'éléments constitutifs du front, du nez, des joues ou du menton. Exécutez à nouveau deux ou trois études du même type, la tête du modèle étant progressivement tournée vers la lumière.

Exercice 4 Dans le noir

Installez votre modèle dans la lumière la plus faible possible, mais suffisante pour peindre, puis efforcez-vous de représenter les formes que vous distinguez dans l'obscurité. « Étudier le visage du sujet au crépuscule » est une formule que connaissent bien les peintres. La pénombre rend plus apparent le modelé sculptural de la tête, et l'œil est moins enclin à se laisser distraire par des détails trompeurs.

Exercice 5 Aux extrêmes limites

Sur un fond en demi-teinte – l'isorel est le matériau idéal – ne peignez que les tons les plus clairs et les plus sombres que vous

CI-DESSOUS
Les portraits imaginaires peuvent se traduire par des déformations expressives de l'anatomie.

A DROITE
Jan Hicks
Naomi
Aquatinte, 19 × 16 cm

observez sur votre modèle, en les travaillant ensemble plutôt qu'alternativement. Vous serez surpris de constater à quel point une peinture aussi minimaliste peut servir la cause de la représentation picturale.

Exercice 6 L'éclat de la couleur

Exécutez un portrait uniquement à l'aide des trois couleurs primaires – jaune, rouge et bleu – directement sorties du tube et non mélangées. Utilisez le jaune pour figurer les tons clairs, le rouge pour les demi-teintes et le bleu pour les tons sombres. Tout en vous obligeant à vous concentrer sur les trois tons fondamentaux, cet exercice vous plongera dans les couleurs les plus lumineuses.

Exercice 7 Les couleurs complémentaires

Peignez en n'utilisant qu'un seul couple de couleurs complémentaires (rouge et vert, orange et bleu, ou jaune et violet) ainsi que du blanc. Cela aiguisera votre sens des couleurs chaudes et froides, développera votre savoir-faire en matière de mélange des gris, et vous montrera ce que vous pouvez obtenir à l'aide de moyens aussi limités.

Exercice 8 Lutter contre l'arrière-plan

Plutôt que de commencer à peindre sur un fond vierge, recouvrez d'abord ce dernier de toutes les couleurs que vous pourrez inventer, puis travaillez sur cette base. C'est une véritable lutte qu'il vous faudra mener tout du long, mais qui vous contraindra à observer et à appliquer vos touches de pinceau plus assurée.

Vous pouvez également réaliser une version en noir et blanc de cet exercice, à l'aide de craie blanche et de fusain ou de craie noire. Recouvrez une feuille de papier de motifs aléatoires en noir et blanc, puis travaillez sur cette base. La difficulté que vous éprouverez à ordonner ce chaos en représentation picturale se traduira par un travail bien plus puissant que ce que vous produisez d'ordinaire.

Il est impossible de s'attaquer à ce type exercice de façon timorée : vous devrez nécessairement regarder, décider et travailler à touches assurées (toute retouche éventuelle devra être également effectuée sans hésitation), ce qui est extrêmement formateur. La superposition du fond et des coups de pinceaux créera, à mesure de l'avancement de votre travail, une surface de texture intéressante.

Exercice 9 Rires dans la pièce d'à côté

Préparez votre matériel puis installez votre modèle dans la pièce d'à côté. Il s'agit ici

d'exécuter un portrait sur la base de croquis et d'esquisses, et non sur celle d'un sujet qui vous ferait face en chair et en os. Peu importe le nombre d'allers et retours que vous devrez effectuer d'une pièce à l'autre. Ce qui est essentiel, c'est l'information que vous rapporterez à chaque fois sur votre toile. Cet exercice est idéal pour aiguiser votre concentration sur les éléments du sujet nécessaire à l'exécution du portrait.

Une variante de cet exercice consiste à peindre à partir d'un dessin unique, mais bourré du plus grand nombre d'informations (dessinées ou écrites) que vous pourrez y transcrire. Une autre consiste à peindre en ayant installé le modèle dans la pièce d'à côté, mais de mémoire : sans croquis ni notes écrites, vous devrez vous rappeler ce que vous avez observé à chaque voyage.

CI-DESSUS
Étude de valeur des tons avec les trois couleurs primaires.

A DROITE
Lutter contre l'arrière-plan à l'aide de crayons Conté noir et blanc.

9. La pratique de la peinture

Pour terminer, voici quelques remarques sous forme de conseils qui vous seront, je l'espère, d'une grande utilité pour le futur.

Les règles de peinture

En peinture, il n'existe qu'une seule et unique règle absolue : à la fin de chaque séance de travail, nettoyez vos pinceaux. Toutes les autres règles ne sont que des lignes directrices. Rares sont celles qui, à une époque ou à une autre, n'ont pas été enfreintes. N'hésitez pas à violer une règle si cela doit contribuer à la réussite de votre tableau. Et si vous ne comprenez pas le bien fondé de telle règle, enfreignez-le délibérément afin de le découvrir.

L'affaissement des dix minutes

Vous avez jeté les grandes lignes de votre composition, le modèle est placé exactement comme vous le souhaitez – et après dix minutes de travail, vous constatez que toute la pose s'est effondrée. La tête penche vers l'avant, les épaules se sont voûtées. C'est tout à fait naturel, car rares sont les personnes pouvant ainsi tenir la pose sans que celle-ci s'affaisse au bout d'un certain temps. Plutôt que de constamment rappeler votre modèle à l'ordre, et lui demander de reprendre sa pose d'origine, il vaudra mieux accepter cette nouvelle pose et s'en contenter. Après tout, l'attitude adoptée par le modèle lui est vraisemblablement plus naturelle et plus confortable, et il la tiendra ainsi plus longtemps. Veillez à lui accorder suffisamment de repos, sinon sa position risque de s'affaisser davantage.

Sacrifices humains

En ce qui concerne le portrait, bien davantage que dans les autres genres de peinture, attendez-vous à faire d'importants sacrifices. Vous êtes par exemple particulièrement satisfait de la manière avec laquelle vous avez peint un œil, mais si celui-ci se trouve décalé d'un centimètre par rapport à son emplacement naturel, votre tableau ne sera guère réussi. Il ne servira à rien de déplacer les autres traits du visage en fonction de cet œil parfait, car le même problème pourra se reproduire plus tard avec un autre élément du portrait, et vous risquez de vous retrouver dans une impasse.

De fait, tel élément isolé, et magnifiquement exécuté, risque souvent de mettre en péril l'ensemble de la peinture. Apprêtez-vous donc durant tout votre travail à procéder constamment à des retouches, voire à des sacrifices énormes si ceux-ci s'avèrent nécessaires, et efforcez-vous de considérer le tableau comme un tout.

Finition photographique

Nombre de peintres peignent des portraits à partir de photographies, et nombreuses sont les personnes de votre entourage qui s'attendront à ce que vous fassiez de même Résistez à de telles tentations. Si l'appareil photographique permet d'obtenir d'excellents portraits les tableaux et dessins exécutés à partir de photographies trahissent toujours leurs origines, par une rigidité et une fixité des lignes, une solidité peu convaincante des masses. En vous inspirant d'une photographie, vous élevez une barrière entre ce que vous voyez et ce que vous peignez, en peinture, c'est précisément cette relation qui importe. Peindre à partir de photographies ne permet pas d'obtenir la vitalité essentielle à la réussite d'un portrait.

Étrangers importuns

Il est courant de réussir un portrait convaincant, avant de constater qu'il semble malheureusement s'agir d'une toute autre personne que le modèle. On remédiera à cette inquiétante sorcellerie, qui s'explique principalement par le fait d'observer trop attentivement le tableau, et trop peu le sujet, en comparant sans relâche ce que l'on voit avec ce que l'on peint.

Ce n'est pas ceci, c'est cela

Votre attention se fixe parfois sur un élément du portrait sans parvenir à déterminer ce qui ne va pas. Vous avez essayé en vain toutes sortes de retouches, mais rien ne semble améliorer la situation. Dans ce cas, le problème réside souvent dans l'une des zones contiguës. Tel élément qui vous paraît incorrect peut en fait être bon, mais le fait qu'il soit placé à côté d'un élément présentant une malfaçon crée la disharmonie.

A DROITE
Édouard Manet
Faure dans le rôle d'Hamlet,
1877
Huile sur toile,
196 × 130 cm

La fin et les moyens

J'espère qu'en effectuant les exercices proposés dans cet ouvrage vous aurez progressivement développé votre manière personnelle de peindre un portrait. En écrivant cela, je ne pense pas seulement à votre style de peinture, mais également à votre façon de travailler. Il vous sera néanmoins probablement utile d'avoir un aperçu des différents moyens qu'utilisent les peintres reconnus.

Dessins peints Bien que peu flatteur, quelques-unes des plus grandes œuvres de l'histoire de la peinture ont été exécutées de cette manière. Le dessin est d'abord tracé sur le support, puis la peinture est rajoutée à cette armature linéaire. Deux points importants doivent être rappelés ici : un modelé, fût-il minime, sera toujours indispensable pour donner du corps à la ligne ; en utilisant la couleur, il sera parfois nécessaire de modifier le tracé linéaire, même si à l'origine le dessin fut précis.

Transparence et empâtement Pendant longtemps, la manière traditionnelle de peindre

un portrait consistait d'abord à exécuter un lavis quasiment monochrome, généralement brun terre, définissant les masses de la tête. Les touches claires étaient ensuite rajoutées à l'aide d'une pâte bien plus épaisse, afin de créer un contraste de tons sombres, chauds et transparents, et de tons clairs, froids et opaques.

Sortir du brouillard Cela consiste à travailler les masses de sorte que le sujet semble devenir progressivement net. Le tableau dans son ensemble commence par la détermination de larges masses, sans qu'aucune partie soit davantage reconnaissable qu'une autre, puis l'ensemble de la surface du tableau se précise graduellement.

Patchwork De petites touches de couleur sont disposées à la surface de la toile pour indiquer à la fois les emplacements et les coloris. A mesure que s'accumulent ces touches, avec ajouts et retouches, le portrait revêt progressivement son aspect définitif.

Grisaille et glacis Une fine sous-couche tirant sur le gris, englobant toute la gamme des tons, est ensuite recouverte de glacis colorés.

En cinq sec Certains peintres se mettent directement au travail sans préparation, achevant leur tableau au cours d'une seule et même séance de pose. Cela nécessite autant d'expérience que de savoir-faire. Mais si le tableau est réussi, il montre souvent bien davantage de fraîcheur et de vitalité que des œuvres ayant demandé plusieurs séances de travail.

Approche mixte C'est probablement la méthode la plus communément employée. On détermine d'abord une ossature linéaire minimale, aussi précise que possible, mais indiquant plutôt les emplacements que les limites des masses. On applique ensuite sur toute la toile une fine sous-couche précisant tonalités et coloris avant de travailler les masses au pinceau.

La ressemblance

Il pourra sembler étrange, dans un ouvrage consacré au portrait, de ne mentionner la ressemblance qu'en tout dernier lieu, et succinctement de surcroît. En fait, nous l'avons traitée tout au long de ce livre, comme il se doit en peinture. La ressemblance n'est en rien quelque chose qui viendrait se rajouter à la fin d'un travail. Chaque touche de pinceau appliquée sur la toile constitue une étape vers la ressemblance finale. Notez bien le terme « progressivement » : vous risquez de rencontrer de graves difficultés si vous obtenez trop tôt une ressemblance trop exacte, en ce sens qu'elle peu vous inhiber, vous faire hésiter à procéder aux retouches, voire aux sacrifices, nécessaires à la réussite du tableau considéré comme un tout.

Bien que la reproduction fidèle d'un portrait soit pour vous, en théorie, l'objet de la peinture, la ressemblance est en pratique davantage le fruit de l'ensemble du travail sur la toile. En portant une attention particulière aux questions globales, telles que l'apparence générale, les questions particulière, l'emplacement et la description des traits, se résoudront le plus souvent d'elles-mêmes. Tant que le tableau suit la voie de la ressemblance, il n'y a pas lieu de s'alarmer, et vous devriez pouvoir atteindre sans trop de peine votre objectif.

Il n'existe ni truc ni formule qui permettent d'obtenir cette si fugitive ressemblance, à l'exception, peut-être, de l'observation inlassable de votre sujet.

CI-DESSUS
Vincent Van Gogh
Autoportrait, 1888
Huile sur toile,
65 × 50,5 cm

A DROITE
Paul Gauguin
Suzanne Bambridge, 1891
Huile sur toile, 70 × 50 cm

Index

Les titres des tableaux sont indiqués *en italique*. Les chiffres *en italique* renvoient aux illustrations.

REMERCIEMENTS

L'éditeur souhaite remercier ici David Eldred (maquette), Helen Jarvis (index), Nicki Giles (coordination) et Jessica Hodge (édition), ainsi que les personnes physiques et morales nommées ci-après pour leur aimable autorisation de reproduire les illustrations de cet ouvrage.

Art Institute of Chicago : p. 29 (Helen Birch Bartlett Memorial Collection, 1926.221)
Casa Buonarroti, Florence/Scala, Florence : p. 75
Courtauld Institute Galleries, Londres : p. 76
Davidson-Houston, A. : p. 8
Dray, Sally : p. 57, 63
Goater, Jen : p. 2-3, 14 (en bas), 15
Hicks, Jan : p. 96
Kunsthalle, Hambourg : p. 72
Metropolitan Museum of Art, New York : p. 41 (Legs Mrs H. Havemeyer, 1929, The H. O. Havemeyer Collection 29.100.129)
Marsh, Sarah : p. 4-5, 18
Moysen, Rosalind : p. 59
Musées royaux des Beaux-Arts de Belgique, Bruxelles : p. 79
National Gallery, Londres : p. 32, 39, 52
Petit Palais, Paris : p. 77
Prado, Madrid : p. 7
Musée Pouchkine des Beaux-Arts, Moscou/Scala, Florence : p. 25
Stevens, Annie : p. 9
Tate Gallery, Londres : p. 23, 27
Fondation Vincent Van Gogh/ Musée national Vincent Van Gogh, Amsterdam : p. 78